D0585573

Het kankerkampioenschap voor junioren

ANDER WERK VAN EDWARD VAN DE VENDEL BIJ QUERIDO

Jeugdboeken
De dagen van de bluegrassliefde (1999) Gouden Zoen 2000
Ons derde lichaam (2006) Gouden Zoen 2007
De gelukvinder (2008, met Anoush Elman) Glazen Globe 2009,
Jenny Smelik IBBY-prijs 2010
Oliver (2015)

Kinderboeken
Sofie-serie, met tekeningen van Floor de Goede en fotostrips van
Ype+Willem:
Sofie en de pinguïns (2010) Pluim van de Senaat van de Nederlandse
Kinderjury 2011, Prijs van de Vlaamse Kinder- en jeugdjury 2012
Sofie en het vliegende jongetje (2012)
Sofie en het ijsbeertje (2013)
Sofie en de dolfijnen (2014)
Toen kwam Sam (2011, met tekeningen van Philip Hopman)
Zilveren Griffel 2012
De raadsels van Sam (2012, met tekeningen van Philip Hopman)
Doei! (2014, met tekeningen van Marije Tolman)

Poëzie
Ik juich voor jou (2013, bij tekeningen van Wolf Erlbruch) Vlag en
Wimpel van de Griffeljury 2014
Superguppie is alles (2015, met tekeningen van Fleur van der Weel)
Verzamelbundel van *Superguppie* (Woutertje Pieterse Prijs 2004,
Zilveren Griffel 2004, Vlag en Wimpel van de Penseeljury 2004),
*Superguppie krijgt kleintjes, De groeten van Superguppie, Hoera
voor Superguppie!* (Zilveren Griffel 2011) en nieuwe versjes.

Non-fictie
Ajax Kinderjaarboek 2013/2014 (2013, met foto's van Louis van de
Vuurst)
Ajax Kinderjaarboek 2014/2015 (2014, met foto's van Louis van de
Vuurst)
Stem op de okapi (2015, met tekeningen van Martijn van der Linden)

Edward van de Vendel
& Roy Looman

Het kankerkampioenschap voor junioren

Amsterdam · Antwerpen
Em. Querido's Kinderboeken Uitgeverij
2015

www.queridokinderboeken.nl
www.edwardvandevendel.nl

De auteur ontving voor het schrijven van dit boek een projectsubsidie van het Nederlands Letterenfonds.

Dit boek is ook verkrijgbaar als e-book.

Omslag Roald Triebels
Omslagbeeld Shutterstock/ Ayakovlevcom

ISBN 978 90 451 1780 5 / nur 284

Voor mijn moeder.

Roy

Dit is het ziekste spelletje dat ik ooit heb gespeeld – maar ik kan ongelooflijk slecht tegen mijn verlies, dus ik ga niet dood.

Dan weet je dat alvast.

Ik vertel het hele verhaal, ik vertel alles wat er gebeurd is. Ik weet nu dat dat belangrijk is. Er komt bloed in voor en het gaat flink stinken. Maar er is ook vriendschap en liefde en zo.

O, en als je volhoudt beloof ik je dit:

aan het eind ga ik naakt.

Goed, daar gaan we.

Het begon...

Het begon op twee verschillende manieren. Ik zet ze hier onder elkaar, maar eigenlijk zou je ze tegelijkertijd moeten lezen.

1.

Eind mei, stralend weer. Ik kende Ward en Bart en Kelvin natuurlijk al langer, want we spelen sinds de F'jes bij Weetveld Vooruit, maar dit weekend belandden we samen op één kamer. Het was het traditionele vader-en-zoon-weekend en die vaders probeerden we te blokken, want we waren vijftien en we hadden drank. Geen drank toegestaan, had de trainer gezegd. Maar wij hadden het.

Mijn moeder was het met de trainer eens. Maar nota bene Wards moeder zei *ach*, en ze stopte twee blikjes baco in zijn rugzak. Ze lagen boven op een handdoek, en de handdoek lag boven op drie flessen Passie. Die zij niet had gezien.

En toen bleek ook nog eens dat er op hetzelfde terrein vier internationale meisjeshandbalploegen logeerden.

De eerste avond gingen we zwemmen, heel relaxed, duikplankje, niks bijzonders. Daarna hingen we onze zwembroeken buiten te drogen. Behalve Kelvin, die gooide hem over de verwarming, binnen. Dat hebben we geweten. Hij had in het zwembad gepist, het zat nog in zijn boxer, we hebben een halfuur met de deur staan klepperen om de lucht kwijt te raken en de rest van het weekend noemden we hem Urineboy.

Maar we hadden chips en we hadden Passie, en de tweede avond bleek er nog veel meer drank te zijn.

Het kwam uit voorvakken, zijvakken, truien, jassen, broekspijpen, het kwam overal vandaan. En er was een feesttent. Met die handbalmeisjes erin. Ik ga je niet alle details vertellen, maar:

a) we gingen op strooptocht langs de andere kamers om de restjes uit de flessen te drinken,

b) we verleidden de bejaarde vrouwen bij de ingang

van de tent vanwege de 16+bandjes ('Mevrouw ik vind u gewoon mooi, mag ik zo'n bandje?'),

en c) toen we binnen waren organiseerden we een Ward-en Bart-wedstrijd, die er om ging zoveel mogelijk te zoenen, met zoveel mogelijk handbalsters. Oké, ik deed ook mee, net als Kelvin, maar een Ward-en-Bart-wedstrijd, dat klinkt gewoon beter, en er hing meteen een lam Duits meisje om mijn nek, dat ik maar moeilijk af kon schudden, en Kelvin moet altijd een beetje op-passen, want hij is glutenvrij en hyperallergisch, als hij met een meisje tongt dat tonijn heeft gegeten ligt hij even later met een opgeblazen hoofd onder de tafel.

Ik hou het kort: het was na middernacht, Bart zei: 'Zes', en toen gingen we Ward zoeken om te horen hoeveel hij er had.

Buiten stond een stelletje Ieren bierflesjes leeg te gooien, over een zoenend koppeltje heen.

Wij: 'What are you doing?'

Zij: 'There's this couple, all heated up, we're cooling them down.'

'Geef ons ook wat,' zeiden wij.

Bleek het om Ward en een bolletje van een Duits meisje te gaan, die aan elkaar vast zaten en zich nergens wat van aantrokken.

'Gast,' riepen wij, 'het is een bolletje!'

Ward trok zijn tong los en zei: 'Nee, nee, ze heeft ge-woon vier truien aan, ik sta net te voelen.'

Zo'n weekend was het. We gingen helemaal los. Op een gegeven moment lagen we lekker te pitten, midden op het gras. Kelvins vader kwam ons wakker maken. 'Kel, wat heb je gedronken?' 'Ik weet het niet.' 'Max, wat heeft hij gedronken?' 'Ik weet het niet.'

Mijn pa kalmeerde Kelvins pa en het eindigde met klaverjassen, gewoon, bij TL-licht, in de eetzaal, Kelvin en ik en onze vaders.

Nee, het eindigde met Ward en Bart en nog wat jongens van het team, die terugkwamen met elk een tros bezopen meisjes. Die vervolgens door de trainer uit de slaapkeet werden gegooid.

Of nee, het eindigde de volgende ochtend met een groepsfoto waar we allemaal verrot op staan.

O, en toen we terugreden zei mijn vader: 'Wisten jullie dat er een hele groep handbalsters was? Die hebben midden in de nacht nog voor de ramen van de eetzaal staan *moonen*. Dat hebben jullie mooi gemist.'

2.

Eind mei, stralend weer. We zouden met de vaste groep naar het meer, naar ons vaste strandje. Ik zat net iets te lang achter de computer, en toen zag ik opeens het klokje rechtsonder in mijn scherm, dus ik sprong op en rende naar de badkamer. Ik graaide een kwak gele gel uit de pot, smeerde het in mijn haar, harkte het heen en weer en klaar. Luchtje op, van mijn vader, *Blue water*.

Ik stormde naar beneden en checkte voor de lange

spiegel in de gang nog even hoe ik eruitzag.

Hé, mijn shirt hing scheef.

Het hing scheef bij mijn nek, en ik trok er wat aan, maar de kraag bleef meer naar links vallen dan naar rechts.

Ik stapte dichter naar de spiegel toe.

Ik keek van opzij.

Ik draaide mijn schouder weg, en toen voelde ik het: er zat iets boven mijn sleutelbeen. Ik gleed er met mijn vingers overheen. Een bolling was het, van een paar centimeter, met in het midden een soort richeltje.

Ik wist meteen: dit is iets slechts. Dit is geen muggenbult, mijn huid is niet rood, het is een ronde schijf die daar niet hoort te zitten.

Geen paniek, Max, dacht ik, geen paniek, het is een ontsteking misschien, of een botbreuk, geen paniek. Ik schoof mijn shirt recht. Het gleed weer terug.

Mijn moeder zat op de bank.

'Moet je eens voelen,' zei ik, 'ik heb hier iets vreemds.'

Ze voelde en ik schrok van haar gezicht. Normaal gesproken zegt ze al snel dat er niks aan de hand is, maar nu fronste ze en zei: 'Huh?'

Ze voelde opnieuw.

'Het is nu te laat om de dokter te bellen,' zei ze, 'maar dat doen we dan morgenochtend.'

Ik zat nog steeds naar haar gezicht te kijken. Ze fronste me wat te veel. Je moet weten dat ze verpleegkundige is.

'Ja,' zei ze, 'we gaan echt de dokter bellen.'

'Is goed,' zei ik. 'Waar denk je aan?'

'Ik heb geen idee.'

Ik ging weer naar mijn kamer. Ik belde de jongens dat ik niet kwam. Ik legde niks uit, ik zei gewoon dat ik geen zin had.

Ik startte Fifa op.

Ken je het soort buikpijn dat je krijgt als je een tijdlang niets gegeten hebt? Die buikpijn had ik.

Ik gamede en ik gamede en ik gaf mezelf peptalks: kom op Max, op dit moment is er nog niks aan de hand, stel je niet zo aan.

En wat je ook doet, Max, zei ik, je gaat niet googelen. Hoor je me, Max? Níét googelen.

Het een begon niet zonder het ander. Vroeger had ik basisschoolvrienden en middelbareschoolvrienden en voetbalvrienden en supermarktvrienden en buurtvrienden, maar geen beste, je snapt me wel. Maar na het voetbalweekend wisten we dat we bij elkaar hoorden. We zagen het gewoon aan elkaar, Bart, Ward, Urineboy en ik.

Wat ik niet wist was dat ik toen al die sjoelsteen onder mijn huid droeg.

—

Ik kreeg nog wat berichten van de jongens, die avond:

Gast! Griep? (van Urineboy Kelvin)

Bob! Luna was er. Lunaaaaaa. (van Bart)

W is ook eerder wegggn, hij zit te kutten met die Josselin. (ook van Kelvin)

Joslin. (Kelvin)

Joslyn. (Kelvin).

Ja maf ze dan. (vijfde keer Kelvin).

Ik antwoordde niet, want ik was naar beneden gegaan. Ik wilde gewoon even bij mijn vader en moeder en de twee kleintjes zijn, ik weet niet waarom. We zaten een comedy te kijken en we hadden het nergens meer over. Precies zoals ik hoopte.

Wat een gedoe! Je schrijft een klein stukje en je moet meteen van alles uitleggen.

Luna: een meisje dat me al vanaf de basisschool achternaloopt. In groep zes mocht ik haar televisietoestel hebben als ik verkering met haar nam. Of honderd euro, dat kon ook. Ik zei nee. Nog steeds duikt ze af en toe op.

Bob: een tijdlang verzon ik voor iedereen een bijnaam. Dat vond ik leuk. Zelf had ik er geen, maar op een dag speelde er bij de tegenstander iemand die Bob heette, en ik zei: dat is eigenlijk best een rare naam. Meteen riep mijn hele team: dan gaan we jou zo noemen. Bob! Bobby! Ik dacht: dat waait wel over, maar het waaide juist de school in, en daarna naar mijn werk, naar al mijn vrienden. Nu zegt iedereen het. Alleen mijn familie noemt me nog Max.

Dus: Vergeet Luna en Joslyn, maar Bob = Max. Kun je het nog volgen?

—

Een jaar eerder werd ik door mijn kleine broertjes neergeschoten.

Het is een tweeling en het zijn geinige jochies, vijf jaar jonger dan ik, maar ik heb verder weinig met ze gemeen. Ze lezen dikke boeken en ze tennissen – ik kijk films en zit op voetbal. Zij hebben elkaar, ik heb mezelf.

Maar wat ik zeg: het zijn geinige jochies, en als je het waagt ze pijn te doen, dan sta ik niet voor mezelf in.

We waren aan het schieten met van die plastic pistolen met een balletje erin. Binnen. Ik deed ze flink pijn. Als een grote broer, weet je wel. Het ging niet te ver, hoor, ze zullen er geen trauma aan overhouden. We schoten van dichtbij en het werd iets te gevaarlijk. Dus ik zei: vanaf nu richten we niet meer op elkaar. Maar terwijl ik het zei haalde ik per ongeluk de trekker over. Dus gingen zij meteen vol achter mij aan. Ik rende weg en keek nog even om. Precies op dat moment ketste er een balletje van de vloer af mijn oog in.

Ik zag niks meer en belandde voor het eerst van mijn leven in het ziekenhuis. Regenboogvlies kapot, hoornvlies kapot. Drie weken op de bank liggen, elke dag druppelen, daarna was het over. Maar nog steeds zou ik bij wedstrijden eigenlijk een bril moeten dragen. Eigenlijk, ja.

Wat ik maar wil zeggen: die twee, ze heten Lennart en Sam, konden er niks aan doen, dus ik werd kwaad toen mijn moeder ze straf wilde geven.

En wat ik ook wil zeggen: toen mijn vader tegen mij begon over wie er de oudste en de wijste moest zijn, was dat voor de zevenhonderdveertigste keer. Dat zei ik ook tegen hem. Hij was het met me eens. En toch, zei hij. Ja ja, zei ik.

Ten slotte: wist je dat zoiets een oogschudding heet? Ik zweer het, een oogschudding.

En dan nog dit: je zou kunnen beweren dat ik wist wat het was om gedeeltelijk defect te zijn. Maar het was niets. Ik wist nog niets.

—

Ik had het eerste uur vrij en toen ik beneden kwam had mijn moeder de dokter al gebeld. Ze kreeg een assistente aan de lijn. Die zei: 'Dat soort klachten zijn er wel meer.

Wacht nog maar even af. Geen zorgen maken en over drie weken terugbellen.'

Mijn moeder hield haar wenkbrauwen opgetrokken toen ze het me vertelde.

Ik dacht: ze hebben het daar zeker druk.

En ik dacht ook: het zal dan wel niks zijn.

Maar ik checkte het heuveltje honderd keer per dag. Mijn moeder zei: blijf er nou vanaf, en dan wilde ze meteen erna zelf ook weer voelen. Mijn vader keek, maar hij hoefde de bult niet aan te raken. Hij dacht waarschijnlijk: daar word ik niks wijzer van. De huid eromheen werd rood, hij begon eruit te zien als een mini-vulkaan, één die naar binnen uitbarstte, als het ware, want het werd steeds moeilijker om de gedachte die zich in mij verspreidde te negeren. Die gedachte was: dit is toch niet goed, dit is echt niet goed.

Een vriendin van mijn moeder voelde en zei: het is in ieder geval geen kanker, want kanker is bobbelig en dit is glad. Ik schrok me rot van dat woord, en toch drukte het dat slechte lava-gevoel in mij even weg.

Even, ja.

Want aan het eind van die drie weken wist ik het eigenlijk zeker: dit wordt mijn laatste weekend als normale jongen.

Het was nog steeds mooi weer en we spraken af bij Bart. Die woont aan de Rijn. Achter in de tuin hebben ze een steiger en daarop dronken we Heineken, uit van die lichtgroene flesjes. Ik deed het rustig aan, ook al had ik het best lekker gevonden om een beetje dronken te worden. We haalden de waterpijp naar buiten en de anderen wilden gaan zwemmen, dus toen zei ik het maar: 'Ik ga geen slootwater drinken, want ik heb een infectie.'

Ik liet het ze zien.

'Kijk uit man,' zei Ward, 'straks is het kanker.'

Iedereen lachte.

Ik ben zo goed in toneelspelen, echt. Maar toen ik thuiskwam was de ochtend erna heel dichtbij, en met een kop vol brandjes ging ik naar bed.

—

We moesten voor negenen al bij de dokter zijn en ik wilde niet. Drie weken lang had ik naar geruststelling gehunkerd, nu stond ik onder de douche, keek naar het afvoerputje en dacht: laat mij daar even in wegspoelen, over een weekje klim ik er wel weer uit.

De zon scheen. In de wachtkamer van de huisartsenpraktijk zat een vrouw met een baby. Die was voor ons aan de beurt. Ik las de AutoWeek. Toen de vrouw klaar was en langs ons naar de uitgang liep, zei ze: 'Sterkte jullie.'

Ik werd op een verstelbaar bed gezet, en de assistente voelde in mijn nek. Heel luchtig en onbezorgd zei ze: 'Dat lijkt me een vergrote lymfeklier. We gaan over een dag of vijf even bloed laten prikken. Het kan Pfeiffer zijn. Of een infectie.'

Ik wipte al bijna als een blije reuzenvogel van dat bed af.

Maar toen kwam de huisarts zelf binnen. 'Hé,' zei hij, 'hoi. Mag ik ook even voelen?'

Hij keek meteen veel ernstiger dan zijn assistente. 'Dat bloedonderzoek doen we vandaag,' zei hij. En hij maakte meteen een afspraak bij het onderzoekscentrum in de stad. Voor diezelfde ochtend nog. Hij maakte er ook een in het ziekenhuis, voor de dag erna, een echo.

Het zweet begon in dubbele hoeveelheden uit mijn oksels te stromen, ik moet er daar een flink stinkhok van gemaakt hebben. Maar de dokter zei: 'Maak je niet druk. Een Pfeifferconstatering duurt vijf dagen, dus ik bel de uitslag dan ergens in de loop van de week aan jullie door.'

Ik zal je zeggen: de toon waarop iemand iets zegt is veel bepalender dan wát hij zegt. En die toon zei: dit heb ik onder controle.

Daarna moest hij nog naar mijn moeder kijken – die had een vlekje dat ze niet vertrouwde. Dat vlekje was geen probleem.

—

Ik zal in dit verhaal heus wel eens iets overslaan, je hoeft niet bang te zijn dat ik ga scherpstellen op elke tel en op elk pijntje. Maar weet je wat krankzinnig is? De momenten die je bijblijven. Van die dag weet ik vooral dit nog: dat we naar dat bloedprikcentrum reden en dat het warm was en dat het autoraampje aan mijn kant naar beneden was gedraaid en dat ik mijn arm op de hete bovenkant van het portier had gelegd. Het slaat nergens op, maar dat opgloeiende metaal: dát voel ik nu nog.

Verder: nummertje trekken, wachten, wachten.

Ik zei tegen mijn moeder: 'Kom jij met je rotmoedervlekje, moet ik onderzocht worden.'

Ik ergerde me overal aan. Die hele praktijk bijvoorbeeld werd gerund door oma's. *Hoe heet je, jongen, komt wel goed, jongen.* Terwijl ik zeker wist dat het mis was. Terwijl ik de hele tijd dacht aan dat woord: echo. Morgen al.

De kleppende oma's tapten me elf buisjes af. Het ene omaatje bracht ze, het andere stak een naald in mijn arm, een derde bracht ze weer weg.

Terwijl mijn aderen leegliepen dacht ik ook nog aan wat de dokter me had gevraagd: ben je de laatste tijd afgevallen, is je eetlust minder? Nee hoor, zei ik. Maar ik realiseerde me opeens, daar, midden in die irritante omafabriek, dat ik al een tijdje mijn ontbijt niet op kreeg.

—

Ik sla de echo over (gel in mijn nek en zo'n scannertje erop), en ik heb het ook niet over de twee verpleegkundigen die om en over mij heen met elkaar liepen te flirten, ik wil alleen even zeggen hoe ongelooflijk stom het is als je uit zo'n kamertje loopt en dan dit hoort: 'Dag hè, en veel sterkte'.

Sterkte – dat heb je niet nodig bij een infectietje.

Toen we thuis waren ging ik samen met mijn moeder op haar bed liggen.

De telefoon ging. Dat was mijn oma, om te vragen hoe het was gegaan, en mijn moeder zei: 'Zolang de dokter niet belt is het goed.'

Ze had nog niet opgehangen of hij belde.

De huisarts zei dat ik meteen voor verder onderzoek naar het ziekenhuis moest.

Ik voelde me acuut verloren, alsof ik een klap gekregen had en nu moest zien bij te komen. Dat woord met twee keer een k erin stond te dringen, ik voelde het steeds sterker.

Mijn moeder zag er net zo verslagen uit als ik, maar we huilden niet.

Ik belde mijn vader op zijn werk. Dat wilde ik zelf doen. Hij had steeds beweerd dat het wel goed zou komen. Zo is hij: een grote, stevige man die je niet zomaar met een vermoeden of een gerucht omver kunt duwen. Maar toen ik hem vertelde wat we van de huisarts hadden gehoord, merkte ik dat hij onder de indruk was van het ernstige moment – en ook dat ik boos op hem was. Zie je nou wel, wilde ik hem zeggen, je hebt drie weken gedaan alsof er niks aan de hand was, niks ernstigs in elk geval, maar ik had al die tijd gelijk.

Hij hield het kort. 'Ik vertrek nu van mijn werk,' zei hij. Hij klonk als iemand die beseft dat hij terechtgewezen is. 'Ik zie jullie in het ziekenhuis.'

—

Hij stond op de kinderafdeling. Met één arm hield hij zijn motorhelm vast, met de andere leunde hij op de balie. Tijdens de autorit had ik alleen maar strepen en pijlen op de weg gezien, en die wezen allemaal dezelfde kant op: die van de plek waar we een bericht zouden krijgen dat alles ging veranderen. Daarna waren mijn moeder en ik tamelijk radeloos door de parkeergarage en door de ziekenhuisgangen gejakkerd, maar intussen had mijn vader zich hersteld. Hij nam nu het voortouw. 'Rustig aan,' zei hij. 'Het is balen,' zei hij. 'Maar voorlopig weten we niks.'

Er kwam een zuster naar ons toe die de aanvoerster bleek te zijn van een hele horde zusters. Ze leidde ons naar een kamertje, en om mij heen begon een wervelwind van bloedafname, bekertjes koffie en vragenlijsten. Dokters stelden zich aan me voor, maar ik vergat meteen hoe ze heetten, want intussen stond er alweer een andere witte jas aan mijn nek en oksels en liezen te voelen. Ze vroegen of ik drugs gebruikte, of ik rookte, of ik dronk.

Ten slotte zei de hoofdzuster: 'We hebben iets gezien op de echo en nu zoeken we uit wat dat kan zijn. Wees maar gerust: vijfennegentig procent kans dat het een infectie is. Vijf procent kans op eh... iets anders.'

Aan het eind van de dag werd er nog een longfoto gemaakt. Het leek wel alsof de patiënten het op dat moment opeens zelf moesten zien te redden, want het grootste gedeelte van de medische staf was al naar huis – op onze dappere hoofdzuster na, die vanaf nu in haar eentje alle virussen en bacteriën moest zien te verdelgen. Toen ze ons kwam vertellen dat ik naar huis mocht, maar morgenochtend vroeg terug moest komen, omdat er in mijn borst opgezette klieren waren ontdekt, zag ze er dan ook behoorlijk moedeloos uit.

Thuis lag ik binnen tien minuten op bed. Ik keek nog even op Facebook. Bart was online. Ik vertelde hem wat er gaande was. *Fuck*, schreef hij. Hij vroeg van alles over kansen en onderzoeken en getallen en percentages, en op al mijn antwoorden typte hij: *Fuck.*

Ik ben kapot, schreef ik, *vertel jij het aan de anderen?*

Ja, schreef hij, *fuck de mzzl fuck.*

—

'We hebben geen annuleringsverzekering,' zei mijn vader. We zaten weer in de wachtkamer van de kinderarts. Om ons heen speelden kleuters. Over twee weken zouden we voor het eerst naar het buitenland op vakantie gaan, naar Zuid-Frankrijk, met een tent. 'Als we het nu afzeggen is al het geld weg,' zei hij.

'Niks afzeggen,' zei ik. 'We gaan gewoon.'

'Hm,' zei mijn vader, 'we wachten het nog maar even af.'

'Ik heb er zin in,' zei ik. 'Zon, zee, strand, bikini's.'

'Ja,' lachte mijn vader, 'als je het zo zegt.'

Zie je? Op de een of andere manier was ik na één nacht slapen alweer optimistisch geworden. Ik weet ook niet waarom, daar had ik nauwelijks invloed op.

En toen kwam de hoofdzuster eraan. Diezelfde lieve, dappere hoofdzuster die we gisteren ook hadden gezien. Had ze de hele nacht doorgebatteld? Haar blik was niet eens meer moedeloos, hij was geschrokken en strak. Ze gaf me een hand en aan de kou in die handdruk voelde ik het: wij gaan niet op vakantie.

'Kom maar even mee,' zei ze.

Ik liep voorop, mijn ouders volgden. Ik keek om en ik zag dat zij het ook wisten: we gaan helemaal niet op vakantie.

Ze bracht ons naar een spreekkamer. De hoofdzuster zei: 'De dokter kan elk moment...' En toen was hij er al, een dikke man met een warme glimlach.

'Goedemorgen,' zei hij, en hij deed de deur voor ons open.

Maar ik had zijn naambordje gezien.

En daar stond 'oncoloog' op – kankerdokter.

Mijn moeder en mijn vader hadden het ook gelezen, ik zag het aan ze. We trokken alle drie wit weg. Het is een wonder dat we bleven staan, want een hamer van duizend kilo had ons omver geknuppeld. Wat moesten we doen? Een stap naar voren zetten, het kamertje in.

Wankelend bereikte ik de stoel die in het midden stond, voor het bureau. Links zakte mijn moeder neer, rechts mijn vader. De hoofdzuster vertrok, we hebben haar nooit meer teruggezien. Ik keek naar het grote, brede raam achter de dikke arts – het gaf uitzicht op niks, op lege lucht.

'Max,' zei de dokter, 'vijfennegentig procent kans dat het lymfeklierkanker is, en vijf procent kans op een infectie.'

In één nacht waren de percentages omgedraaid.

—

Naast me zei mijn vader *wok*. Of *dok*. Ik weet niet wat hij zei. Ik keek opzij en allebei mijn ouders zaten met tranen in hun ogen. Ze keken niet terug. Ik had mijn vader nog nooit zien huilen. Nooit, helemaal nooit.

De dokter zei: 'Jullie moeten naar het ziekenhuis in Rotterdam, daar zijn ze gespecialiseerd.'

'Waarom Rotterdam?' vroeg mijn moeder.

'Daar zijn ze gespecialiseerd,' herhaalde de dokter. 'Ze hebben er hele goede oncologen. Max, ze zullen je helpen. Ik begrijp dat je geschrokken bent, maar je moet je niet onnodig zorgen gaan maken. De genezingskans is negentig procent. Ze hebben hele goede behandelingen.'

Wat die dokter verder nog zei ben ik vergeten. Hij stond op, blokkeerde mijn uitzicht op de hemel achter het raam en wenste me succes.

—

Ik schrijf dit nu omdat het belangrijk is dat ik jullie alles vertel. Maar ik wil nooit meer aan dit gesprek denken en ik lees deze alinea's hierboven ook niet meer terug. Als je me ziet nadat je dit gelezen hebt: vraag me er niet naar.

Ik zat daar en was geen lichaam meer. Ik was hoofd. Ik was gedachtes. Ik zei niks en vroeg niks en die negentig procent kans op genezing maakte geen indruk. Dat je zo weggestreept kunt worden, als normale vijftienjarige jongen, dat je met één diagnose overgeplaatst kunt worden naar een nachtmerrie: ik wist het niet. Maar ik zat mezelf te bekijken en ik zag het gebeuren.

Met mijn ouders heb ik het nooit meer over dit gesprek gehad en ik schreef het daarnet dus alleen maar op omdat het moet. Nu ga ik even iets anders doen, parachutespringen of zo.

—

Toen we naar buiten liepen gaf mijn moeder me een arm. Ik huilde, en dat was klote, want we liepen op een hele smalle klotestoep en er stroomde ons een hele klotebende klotevrolijke klotestudenten tegemoet. Ik hield mijn hoofd naar beneden, maar ik moest af en toe wel opkijken, en dan zag ik hoe al die klotefiguren me aanstaarden. In de auto zeiden we eerst alle drie dat het een klotezooi was, want dat was het, een klotezooi, we zeiden het nog maar een keer. Klotezooi. Daarna belde mijn moeder naar haar moeder, naar oma, want die moest de tweeling opvangen.

Ik ging op de klote-achterbank liggen en dacht aan zo veel dingen tegelijk dat er geen richting meer in zat.

‘We gaan eerst langs huis,’ zei mijn moeder, ‘misschien moet er slaapkleding mee.’

‘Klotezooi,’ zei ik.

‘Ja,’ zei mijn vader, die de klote-Tomtom op het klote-Sophia Kinderkloteziekenhuis aan het instellen was, ‘klotezooi.’

—

Vanaf die eerste rit zag ik, elke keer als we naar Rotterdam gingen, een eigenwijs huisje langs de weg. Het weigerde om opgeslokt te worden door asfalt of door beton, het lag verborgen tussen een paar scheef gewaaide bomen en het was raar en klein en oud. Om maar aan niets anders te hoeven denken vroeg ik me dan af wat voor koppige mensen daar woonden, wat ze nu deden, waar ze zich zorgen over maakten.

Even later kwamen we langs het pretpark waar ik vroeger een paar keer was geweest: Drievliet. Thuis, op mijn kamer, hing een foto van mijn vader en mij in de zweefmolen. Onze haren staan wijduit en we gooien onze armen de lucht in alsof wij het zijn die voorop vliegen, alsof wij het zijn die al die mensen om ons heen op de kracht van onze vleugels de wind in zwieren, rond en rond en rond.

Dat eigenwijze huisje en dat pretpark, ik zou ze daarna nog heel vaak zien, maar ook zij zijn ziek geworden, net als de verkeersborden langs de weg naar Rotterdam, net als de billboards van de dierentuin, net als Rotterdam zelf, met zijn opstoppingen, zijn werkzaamheden, zijn verbouwingen – ze zijn besmet en nooit meer genezen.

Ik hoef de bewoners van dat kleine, oude huisje nooit te leren kennen. En als het niet hoeft ga ik liever niet naar Rotterdam. De overblije foto uit Drievliet heb ik van de muur gehaald.

—

Bij het ziekenhuis moest ik eerst weer ingeschreven worden. Ze maakten een nieuwe foto – eentje waarop ik een crackhead leek. Daarna begon de hele serie onderzoeken opnieuw. En ook het wachten.

Overal hingen posters van een kinderachtig figuurtje dat bestond uit een cirkel met een pet en twee onhandig getekende beentjes. *Ik ben Chemo-Kasper en ik jaag op slechte cellen.* Kneus, dacht ik, als jij me ooit moet gaan helpen, heb ik er nu al geen vertrouwen meer in. Het voelde goed om los te gaan op dat stomme chemomannetje, ik zag mezelf dat brilletje van zijn kop slaan, het doormidden breken en er een tapdansje op doen.

'Hé, je lacht,' zei mijn moeder.

Ik bromde: 'Ik moet toch wat.'

Een student met een vriendelijk gezicht begeleidde ons. Hij wees ons het ene kamertje na het andere, er waren weer echo's, longfoto's en er werd weer gevoeld. Dit ziekenhuis deed een stuk warmer aan dan het vorige. Misschien kwam dat ook door de oranje wanden, de speelhoeken en zelfs door de kale-koppen-kinderen die in de gangen aan het spelen waren, want die zagen er een stuk kwieker uit dan ik.

In elk geval: ik begon me af te vragen waarom het niet alsnog een infectie zou kunnen zijn, dat kon toch, er was toch een kans?

Aan het eind van de dag bracht de student ons naar de oncoloog die de uitslag mee zou delen. De oncoloog achter zijn bureau zag er deskundig uit. Wij gingen zitten, de student kwam naast ons staan.

'Max,' zei de oncoloog, 'je hebt daadwerkelijk kanker.'

—

De oncoloog zweeg, de student ook. Ik keek uit het raam. De gebouwen die ik daar zag hadden gekleurde kozijnen. Het was al na vijven, de kantoren waren leeggestroomd. Naast me huilde mijn moeder. Eén stoel verderop duwde mijn vader met zijn vingers op zijn oogleden. Geel waren die kozijnen, buiten, maar hier en daar was er eentje rood. Ik keek en ik keek. En ik dacht: ik ben te jong. Dit komt te vroeg.

Maar de oncoloog zei: 'We gaan nog meer onderzoeken doen om precies te zien wat het is. We denken inderdaad aan de lymfeklieren, maar we willen weten of er uitzaaiingen zijn. Daarna starten we chemotherapie, waarbij er over het algemeen een goede kans op genezing is.'

Hij sprak zo rustig en overtuigd dat ik aan voetbal begon te denken. Aan een reservespeler die op de bank zit, die ongeduldig wacht tot hij zich mag warmlopen en dan mag spelen. Als ik er maar in kom, dacht ik. Als ik maar een kans krijg om te strijden. Wanneer kunnen die eerste medicijnen erin?

Ik zat daar, en ik bleef natuurlijk gewoon zitten, maar eigenlijk sprong ik op. Eigenlijk ging ik toen al, midden in dat kamertje, in de gevechtshouding staan.

—

We reden de parkeergarage uit en bespraken hoe we het aan iedereen moesten vertellen. Ik zat op de achterbank en dacht al aan een eerste bericht op Facebook. De dokter had gezegd dat er nog steeds een ongelooflijk kleine kans op een infectie was. Dat moest ik niet vergeten erbij te schrijven. Ik vroeg me af of Bart de anderen had ingelicht, maar in de haast was ik die ochtend mijn mobiel vergeten mee te nemen. Ik zei tegen mijn moeder dat ik het zelf aan de tweeling wilde vertellen, en opeens zei mijn vader: 'Waarom gebeurt dit?'

We stonden midden op een kruispunt dat ik je zo aan zou kunnen wijzen, want het was het droevigste moment dat ik ooit met mijn vader mee heb gemaakt. De lichten sprongen op groen. Mijn vader sloeg op zijn stuur en wreef zijn tranen weg.

'Waarom gebeurt dit?' vroeg hij nog een keer.

Mijn moeder antwoordde niet, en ik ook niet en het deed godverdomme pijn.

—

Thuis wachtten drie van mijn vier grootouders. Alleen mijn vaders vader was er niet, maar die woont dan ook nogal ver weg.

Ik kwam binnen en daar was opa, de vader van mijn moeder. Hij zag er aangeslagen uit, zijn hoofd leek roder en rimpeliger dan normaal. Hij stamelde: 'Jongen... ik zou het van je willen overnemen... als dat kon, deed ik dat... jongen...' Oma kwam achter hem aan en zei precies hetzelfde.

Ze huilden en ze omhelsden me. Ik liet ze, want daar heb je oma's en opa's voor. Maar ik stond in de vechtmodus, dus ik dacht: als ik het aan jullie kon doorgeven had ik dat niet gedaan. Dit is mijn strijd, kom maar op.

'Shit man, shit man,' mompelde opa aan een stuk door.

In de keuken stond mijn andere oma. Eerst zei ze niets, maar er spatten woorden uit haar blik: *wat een ongeluk, wat erg, wat verschrikkelijk.*

'Maxje,' zei ze toen, 'wil je wat drinken? We zaten buiten.'

Sam en Lennart.

Mijn broertjes.

Die wisten nog van niks.

Mijn moeder wilde naar ze toe, want ze waren boven, op hun kamer, maar ik zei: 'Ik ga wel.'

Sam lag te lezen en Lennart was aan het gamen. Ik

vroeg of ze naast me kwamen zitten. Dat deden ze, elk aan één kant van Sams bed. Ik had van de oncoloog geleerd dat de eerste zin de duidelijkste moet zijn, dus ik zei: 'Jongens, ik ben vandaag in het ziekenhuis geweest. Ik heb kanker. Maar we gaan ertegenaan.'

Lennart schoof een meter van me af en riep: 'Is het besmettelijk?'

Sam vroeg: 'Gaat de vakantie nu niet door?'

En dat was zo heerlijk. Het leven was dus toch nog normaal. Als ik terugdenk hebben de idiote reacties van die twee me toen, op dat moment, definitief op mijn benen gezet. Ik kon niet anders dan glimlachen toen ik zei: 'Nee, het is niet besmettelijk. Maar we gaan niet meer naar Frankrijk, want ik moet nog verder onderzocht worden, en daarna begint de behandeling.'

'Ga je dood?' vroegen ze.

En ik antwoordde: 'Dit wordt misschien mijn ziekste spelletje ooit, maar ik kan heel slecht tegen mijn verlies, dat weten jullie. Dus ik ga absoluut niet dood.'

—

Die avond schreef ik een berichtje op Facebook over wat er was gebeurd en hoe de kansen lagen. *Vandaag heb ik gehoord dat ik voor negenennegentig procent zeker lymfeklierkanker heb, maar ik richt me op dat ene procent, ik ga mijn best doen, ik wil het niet van de daken schreeuwen, maar jullie horen het te weten.*

Zodra ik het gepost had bliepten de wo-hoo's en de sterktes binnen. De conciërge van mijn school schreef:

Ik ga voor je bidden, en je kent het motto van Liverpool: You'll never walk alone.

Dat vond ik mooi. Alles, wat iedereen zei, was mooi, ze namen toch even de moeite om te reageren. Er werd ook gesms't en gebeld, Ward was een van de eersten.

'Bobby!' zei hij. 'Kut!'

'Ja, man,' zei ik.

Hij vroeg nog even hoe mijn dag was geweest, maar na een paar zinnen begon hij al over Joslyn. 'Ik weet niet of ik haar nog leuk vind, Bob. Ik weet ook niet of zij mij nog leuk vindt. Wat denk je, moet ik haar dumpen?'

'Eh...' zei ik, 'ik heb even geen ideeën over jouw vriendin.'

'O, nee, natuurlijk niet. Nou, dan ga ik weer hangen, oké?'

'Oké, Ward.'

Je denkt nu misschien: wat een egogast, die Ward. Maar ik nam het hem niet kwalijk. Ik zette mijn telefoon op stil en ik sloot de computer af, en ik wist: alles gaat gewoon door. En dat was, zo vlak voor ik zwaar gevloerd in slaap viel, een behoorlijk geruststellende gedachte.

Voor wie zijn hele leven met oortjes in aan de Oostvaarders plassen heeft gezeten: Liverpool is de enige voetbalclub ter wereld waar echt gestreden wordt. Door de supporters, bedoel ik dan. Niet omdat ze hun vuisten gebruiken, maar omdat hun hart in het doel vliegt als de bal in het doel vliegt – dat merk je aan hoe ze zingen. *You'll never walk alone.* Dat rolt daar in golven van de tribunes alsof het een lange warme sjaal is, gebreid door mooie, ongerimpelde omaatjes – je ziet, als het om Liverpool gaat sla ik op hol, als ze verliezen ga ik het liefst met oortjes in aan de Oostvaarders plassen zitten.

—

De dagen erna? Scans, gesprekken, een operatie waarbij ze de bult weghaalden en onderzochten. Ik werd van links naar rechts gesmeten en weer terug. Na een van die onderzoeken (eentje waarbij ik een spuitje kreeg, 'Hier kun je een beetje misselijk van worden') wankelde ik naar mijn vader, die op een bankje zat te suffen. Hij schrok wakker en vroeg: 'Hoe was het?' En ik riep: 'Ik ben misselijk van dat spul! Heb je een dweil bij je? Ik kots die hele vloer hier onder.' Waarop de totale wachtkamer begon te gniffelen.

Wanneer we thuiskwamen was ik uitgeput. Ik at wat en hees mezelf de trap op, naar mijn kamer. Ik gamede niet, ik ging niet online, want ik wilde het liefste slapen. Dan was er geen ziektegepieker, dan hoefde ik geen aandacht te besteden aan de tien procent. Want dat had ik nu al een paar keer gehoord: dat negentig procent van de kinderen met lymfeklierkanker geneest – en tien procent niet.

'S Avonds, in mijn zichzelf verduisterende hoofd, groeide die ongeluksmarge als ik niet oplette naar elf, twaalf, veertig, zevenenzeventig. 's Avonds viel ik, als ik niet oppaste, van mijn startblok af. Mijn vechtmodus verslapte en mijn gebalde vuisten zakten uit tot hulpeloos bungelende dingetjes met vingers. Maar tegelijkertijd hielpen die sombere gedachten me ook om te begrijpen dat ik niet gezond meer was. Ziek zijn is net zoiets als een nieuw jaar ingaan, of jarig geweest zijn:

pas na een tijdje zeg je dat het 2015 is en niet meer 2014, pas na een tijdje begin je eraan te wennen dat je geen zestien meer bent, maar zeventien. Dus dat getob was niet alleen maar slecht. En meestal was ik zo kapot dat ik paradijselijk snel in coma viel.

En 's ochtends was er dan licht, 's ochtends was ik weer sterk, 's ochtends begon ik, als we in de auto stapten, steeds wat meer te lijken op een kankeratleet.

—

'Hé,' zei ik tegen de tweeling, op de dag van de laatste uitslag, 'ik word misschien wel kaal. Moet je kijken.'

Ik had mijn haar onder een petje weggestopt en nu bedekte ik mijn wenkbrauwen met mijn vingers. 'En?' vroeg ik. 'Is het wat?'

Ze begonnen te grinniken en schreeuwden dat ik vet lelijk zou worden, zeker weten.

'O ja?' lachte ik. 'Zoiets als jullie?'

Al dat piekeren in de avonden had geholpen, ik raakte zelfs aan het ziekenhuis gewend. Ik knipoogde naar Chemo-Kasper als ik langs zijn duffe posters liep, en vandaag zou ik gaan horen hoe ik kon strijden.

We kwamen opnieuw het kamertje van de oncoloog binnen en er scheen een dikke bundel zon naar binnen. Het leek wel feestverlichting.

Ook nu weer kwam de dokter meteen ter zake – ik mocht die man wel. 'Het is dus lymfeklierkanker en we zijn net op tijd.' Niet alleen de klieren in mijn nek, maar ook die rond mijn longen, mijn buik en middenrif waren besmet, maar de genezingskans was hoog, negentig procent, inderdaad, en er was een behandelplan.

'Oké,' zei ik, 'van die overlevingskans maak ik gelijk maar eenennegentig procent, want ik ga er keihard tegenaan. Wanneer beginnen we?'

Ik kreeg een schema, met blokken en pijltjes. Acht maanden chemo, de kuren op donderdag, hier en daar een pauze. Ik mocht zelf beslissen of ik volgende week al wilde starten, of pas de ronde daarna.

'Morgen,' zei ik.

'Dat redden we hier niet,' zei de oncoloog. 'We kunnen nog heel even wachten, want de tumoren groeien langzaam, je loopt er al zeker een halfjaar mee rond, misschien wel langer.'

'Doe dan maar over drie weken, dokter.'

'Prima.'

Natuurlijk, het was opnieuw een slechte uitslag. Maar ik kon eindelijk aan de slag, dus ik was in mijn hoofd al een paar juichrondjes aan het rennen. Eerst nog een beetje lol maken en dan: *Let the games begin.*

—

De jaarlijkse barbecue van het voetbalteam kwam eraan. De vorige keer dat we bij elkaar waren geweest, buiten de training en de wedstrijden om, was tijdens het vader-en-zoon-weekend. Toen gingen we los, nu wist iedereen wat ik te horen had gekregen. Ze vroegen mijn vader of ik wel naar de tuin van de elftalleider wilde komen. 'Een uurtje,' zei ik.

Bobby is een clownsnaam, en eigenlijk klopt dat ook wel: aan het eind van een donderspeech in de kleedkamer maak ik meestal een grap, zodat we weer op gang komen met z'n allen. Iedereen heeft zo zijn taak, dit is de mijne. Maar nu vroeg mijn vader in de auto: 'Weet je al wat je gaat vertellen?' En ik zei: 'Ik zie wel. Vrolijk zal het niet worden.'

De anderen waren er al, maar ze hadden voor ons een parkeerplek vrijgehouden.

We gingen achterom, via het zijpad. Daar stond een haag van fietsen, die ik een voor een opzij moest zetten om erlangs te kunnen. Ik voelde me net een artiest voor zijn optreden, ik wist dat er gehuild zou worden, ook door mij. Dat was niet erg, ik voelde me toch al naakt. Bovendien was het wáár – ik had kanker en dat was kut. Maar het omslaan van de sfeer: daar zag ik tegenop.

De laatste fietsen waren opzij gezet, en ik stond voor de poort. Ik haalde diep adem, deed hem open en stapte de tuin in.

Meteen werd het stil.

Ik had Ward, Bart en Kelvin en ook de anderen alleen online gesproken, ik had nog niemand gezien. En nu stonden ze daar met z'n allen. Ze zwegen en keken me aan.

Toen stapte de elftalleider naar voren. Hij liep naar

me toe en sloeg zijn armen om me heen. Hij begon te huilen, en ik natuurlijk ook.

Daarna liep ik naar de teamgenoot die het dichtst bij stond, omhelsde hem, en zo vormde zich als vanzelf een soort knuffelrij. Ik schoof er gewoon langs. Iedereen deed mee, alle vaders, alle jongens. Af en toe zei iemand 'shit' of 'kom op, Bobby', en ik voelde me zo fokking welkom, daar, op dat volle gazon.

Bij mijn drie beste vrienden bleef ik net wat langer staan en ze lieten me ook net iets later los. Ward zei, toen we borst aan borst stonden: 'Bob, wat moeten wij nu doen?' Ik zei: 'Ik weet het niet.'

Na de laatste omhelzing moest ik weer normaal zien te worden. Ik keek naar het achterste stuk van de tuin. Misschien moest ik daar even op het terrasje gaan zitten. Naar het water staren.

Terwijl ik wegliep hoorde ik iemand zeggen: 'Hoe kan het nou net Bobby zijn? Hij doet nooit iets verkeerd. Hij rookt niet, hij drinkt wel een beetje maar echt niet zo veel, en bij de politie kennen ze hem niet.'

Mijn vrienden waren met me meegelopen. Ward hurkte zonder iets te zeggen naast me neer. Kelvin kwam er ook bij, en Bart ging tegenover ons staan. Hij trok blaadjes van een struik en friemelde er zenuwachtig mee.

'Bob,' zei hij, 'wat hebben ze nou precies gezegd?'

Ik begon te vertellen.

Ward mompelde af en toe: 'Balen, Bob.' Bart stelde nu en dan een vraag. Kelvin zei nog steeds niet veel.

Ik voelde me weer wat sterker worden met deze drie om me heen. Het was een soort pitstop. Een reparatieservice.

Na een tijdje vroeg Ward het opnieuw: 'Hoe gaat het dan met ons? In de zomer?'

'Nou,' zei ik, 'ik ben natuurlijk bijna jarig.'

'O ja gozer,' viel Bart opgelucht in. 'Wat wil je eigenlijk hebben?'

Zo ging het langzamerhand weer over gewone dingen, en op een gegeven moment voelde ik gesnuffel bij mijn oor. En gelik. Dat kwam van Jip, het hondje van de elftalleider, dat maar niet begreep waarom de jongens die normaal altijd met hem speelden nu zo saai zaten te doen. Maar ik zei: 'Kelvin, is dit jouw manier om aandacht te vragen?'

'Bob,' zei Kelvin.

'Ja, Urineboy?' zei ik.

'Er is dus niks veranderd. Je bent nog steeds een idioot.'

—

Na een tijdje kwam de elftalleider naar ons toe. 'Kom,' zei hij tegen mij, 'we gaan naar binnen, dan kun je alles nog even rustig uitleggen.'

In zijn krappe woonkamer gingen de jongens van mijn elftal om de tafel zitten. De vaders bleven staan.

Ze lieten voor mij een stoel aan het hoofdeinde vrij.

De pauze met mijn vrienden had me goed gedaan, want ik kon weer normaal praten. Ik zei: 'Jullie weten het dus al: ik heb een probleem. Ik ging voor een bultje naar de dokter en nu sta ik hier.'

Daarna hield ik mijn verhaal nog een keer, in een kortere versie dan daarvoor, daarbuiten, en ik eindigde met: 'Maar ik ga proberen te blijven voetballen. Jullie zullen me nog wel zien.'

Ze keken me allemaal aan. Niemand zei iets. Een enkeling knikte.

De elftalleider schraapte zijn keel. 'Max,' zei hij, 'we staan allemaal achter je. En nu gaan we even wat eten, want dat hebben we wel nodig.'

De vaders kwamen naar me toe, en de jongens renden heen en weer met sateetjes. 'Wil je nog?' vroegen ze, een voor een. Die avond heb ik minstens vier tonnetjes pindasaus binnengekregen, en zeker zes gefileerde kippen.

Ward bleef bij me, waar ik ook heen ging. Als een schildwacht. Als een hondje. Ik vroeg me af waarom hij het deed, maar het zag er wel trouw uit. 'Geef maar,' zei hij, toen ik met een handvol leeggegeten stokjes stond.

Na een uurtje zag mijn vader aan me dat het tijd was om te vertrekken. Iedereen riep 'Doei, Bob! Sterkte, Bob! Zie je, Bob!' en ik kreeg een laatste hug van de elftalleider.

Toen ik naar de auto liep kwam zijn vrouw me achterna. 'Max,' zei ze, 'ik wilde je dit nog geven. Wij hebben er heel veel aan gehad, misschien kun jij er nu iets mee.'

Ik keek naar wat ze in mijn handen drukte. Het was een vierkant boekje met een foto van een peinzende chimpansee erop. *Wijze woorden*, dat was de titel.

Ik ben geen lezer. Maar de elftalleider en zijn vrouw hebben al zo veel ellende meegemaakt, dingen die ik hier niet aanhaal, want dat zou op roddelen lijken, in elk geval: als dit boekje hen geholpen had dan moest ik het op z'n minst eens goed bekijken. En dus zei ik: 'Dank je wel.'

'Zie maar wat je ermee doet,' zei ze, 'het zijn spreuken.'

'Super,' zei ik, want ze keek zo lief.

'Echt,' zei ik, 'dank je wel.'

Ik stapte in. Ze zwaaide.

'Zo,' zei mijn vader, 'naar huis.'

'Ik ben verrot,' zei ik.

En sloeg het apenboekje open.

—

Een snooze-alarm is een slecht alternatief voor een wekker. Wie geduld heeft, krijgt vaak het beste hapje. De andere rij gaat altijd sneller, totdat jij je ook aansluit. God kan niet overal zijn, daarom heeft hij moeders gemaakt.

Oké, aan dat soort spreuken had ik niet zo veel. Maar die zag ik later pas. De eerste die ik las was meteen raak.

Wie denkt dat niks twee kanten heeft, staat waarschijnlijk alleen.

Er stond een plaatje bij van twee giraffen. Van hun nekken, eigenlijk. Ze kruisten elkaar en bogen toch elk een andere kant op. De zon scheen er een randje licht omheen. Maar het ging me niet om die giraffen, het ging me om die zin. We waren alweer thuis en ik moest even gaan liggen. 'Hoe was het?' vroeg mijn moeder. 'Vertel ik nog wel,' zei ik.

Wie denkt dat niks twee kanten heeft, staat waarschijnlijk alleen.

Ik vertrok naar boven, en op mijn kamer legde ik het boekje naast mijn bed. Daar, waar ik het kon zien.

—

De dorpsbakker was Twitter en Facebook tegelijk. Hij vertelde aan iedereen die het maar horen wilde hoe ziek ik was, hij mengde het door het deeg, het zat inbegrepen bij de prijs van de krentenbollen. En dus regende het reacties. Zo waren er verre vrienden van mijn ouders, die ze al jaren niet hadden gezien, maar opeens zaten ze een hele avond in ons huis. Goedbedoeld, natuurlijk, goedbedoeld ramptoerisme. Daarna nooit meer iets van ze gehoord.

Of die basisschoolvriend. Ik sprak hem via het PlayStation-netwerk. 'Klopt het wat ze zeggen?' vroeg hij. 'Ja,' schreef ik. En toen las ik zijn volgende vraag: 'Wanneer ga je nu dood?'

Hij was geschrokken, dat snapte ik heus wel. Maar ik schrok weer van hem. Ik typte zo snel als ik kon terug:

'Ik ga het waarschijnlijk gewoon overleven. Dood is niet aan de orde.'

Later hoorde mijn moeder van zijn moeder hoe erg hij in de war geweest was. En dat moet ook wel, want dit was wat hij antwoordde: 'Zie ik je nog voor je doodgaat?'

En die gigantische Surinamer die bij mijn pa werkt. Hij stapte op mijn vader af tijdens de lunchpauze en zei: 'Ik heb een gebedskring, met drie vrienden van me. Ik wil je toestemming vragen om te bidden voor je zoon.'

Mijn vader zei: 'Ik heb niets met het geloof, maar als je dat wilt, mag het natuurlijk.'

Toen hij het me die avond, tijdens het eten, vertelde, deed het me toch goed. Ik had opeens het gevoel dat het nog weleens zou kunnen helpen: een groepje reuzen-Surinamers dat op de knieën zat voor mij.

—

Het was het einde van het schooljaar. We hoefden alleen onze rapporten nog maar op te halen. Ward, Bart en Kelvin zitten op andere colleges dan ik, dus ik fiets meestal met Sjoerd. Die ik ook al jaren ken en die bij me in de straat woont.

Ook die ochtend stond hij voor ons huis, maar toen ik naar hem toe liep en op wilde stappen, zag ik dat hij tranen in zijn ogen had. 'Hé,' zei ik. Hij zei niks terug. Dat lukte hem niet.

En het werd nog vreemder, want we haalden Pimmetje op, en Sjoerd hield in en bleef een paar meter achter Pimmetje en mij aan rijden. Met zijn hoofd naar beneden.

Kijk, als lachen gezond is, heeft Sjoerd mijn leven met minstens drie jaar verlengd. Hij nam een keer een elektrische tandenborstel mee naar school en hield hem tegen zijn stoel. Door het snerpende geratel dacht de leraar dat er ergens buiten werd geboord, hij gaf het lesgeven op en wij mochten eerder naar huis. Op dat soort middagen huilden we soms van het lachen, dus waarschijnlijk begreep Sjoerd niet dat ik opeens ziek kon zijn, en begreep ik niet dat hij daar zo ongelooflijk stuk van was. We kenden elkaar niet in dit soort omstandigheden. Bizar was het, maar in die dagen was het grootste deel van wat ik meemaakte toch al bizar – en elke keer als ik terugdenk aan hoe hij me niet aan kon kijken, hoe hij niets meer tegen me kon zeggen, doet dat me goed, gek genoeg.

Bovendien, toen we even later door de gang liepen en twee brugklasmeisjes achter ons hoorden zeggen: 'Hij is heel ziek, hè. Ik denk dat we afstand moeten houden, misschien slaat het wel over,' kreeg Sjoerd toch weer de slappe lach. En ik dus ook.

—

Ik had van tevoren met mijn mentor gebeld. Ze vroeg of ik mijn rapport opgestuurd wilde krijgen, maar ik zei: 'Ik heb liever dat iedereen het in één keer hoort.'

Sjoerd en Pimmetje waren naar hun eigen klas, dus ik

liep in mijn eentje naar mijn lokaal. Ik werd hier en daar nagekeken, maar niet aangesproken.

Ik ging naar mijn vaste plek. De jongen naast wie ik meestal zat was al op vakantie. Zijn stoel bleef leeg.

De mentor zei: 'Allereerst de felicitaties aan degenen die over zijn en voor wie de vierde nog eens over doet: volgend jaar beter. Maar er is ook nieuws van een hele andere orde. Ik heb de laatste dagen veel contact gehad met Max. Hij heeft te horen gekregen dat hij lymfekliermkanker heeft. Max, wil je het zelf vertellen?'

Ik vond het eigenlijk best eenzaam, daar linksachter, bij het raam, dus ik zei: 'Doet u het maar.'

Ze ging verder, maar ik kon het niet meer volgen, want er werden hoofden naar mij omgedraaid, in de rij voor me, in de andere rijen – en ik kende opeens mijn klasgenoten niet meer.

Ik wilde weglopen. Ik wilde roepen: 'Fijne vakantie, lui. Later, hoi!'

Ik deed het niet.

Ik zat daar en ik versteende.

Waarom staarde iedereen zo?

Ik begon me voor mijn ziekte te schamen. Het was alsof ik er zelf schuld aan had, alsof ik kanker had opgelopen omdat ik een belangrijk proefwerk had verknald, omdat ik mijn best niet had gedaan, omdat ik mijn huiswerk in de sloot had laten vallen.

De mentor was bij het einde van haar verhaal en het werd nog stiller. Ze zei dat we mochten vertrekken, maar bijna iedereen bleef zitten. Een paar leerlingen stonden op. Kwamen naar mijn tafeltje toe. 'Max...' zeiden ze, maar ze vroegen niets. Ik was een zeldzaam dierentuindier. Ze keken en keken en zelfs toen ze vertrokken keken ze, door de ramen van de gang, nog steeds. Het was zo anders verlopen dan bij het voetbalteam. Ik zat daar en eerlijk waar, ik dacht: ik wil naar mijn moeder.

Ik weet hoe dit klinkt, geloof me. Maar ik wilde echt zo snel mogelijk naar mijn moeder toe, en uithuilen.

—

Er kwamen de hele tijd familieleden langs, en dat waardeerde ik, want hé, ze hadden ook thuis kunnen blijven om naar Comedy Central te kijken. Maar dit waren mijn onbezorgde weken, dus als ze sip binnenstapten ging ik er dubbel zo strijdlustig tegenaan. Echt waar, ik stond de hele dag met opgestroopte mouwen. Zo was er eens een oudtante die begon over verdikt bietensap.

'Het is alternatief, dat wel,' zei ze, 'maar het verbetert je bloed.'

'Ik probeer eerst wel een rondje chemo,' zei ik.

'O, ik bedoel het als toevoeging,' zei ze, 'elke dag een glaasje.'

'Ik doe chemo,' zei ik, 'en als dat niet helpt neem ik dubbele of driedubbele of vierdubbele chemo, maakt me niet uit hoe ziek ik er van word, het zal me lukken, over acht maanden ga ik lekker op salsadansen.'

'Salsadansen?' vroeg de oudtante. Ze trok een gezicht

alsof ze net zelf een emmertje verdikt bietensap achterovergeslagen had.

Ik boog me naar haar toe en legde eventjes mijn hand op haar arm.

'Met u,' zei ik, 'gewoon hier, in de kamer. Goed?'

Oudtante grinnikte. Ze keerde zich naar mijn moeder en zei: 'Zo'n dappere jongen.'

Mijn moeder knikte en zei: 'We vragen het wel aan de dokter, dat van dat bietensap.'

Ik sprong op en riep: 'Ik ga naar Kelvin.'

En bij de deur deed ik een danspasje.

Dat van die opgestroopte mouwen bedoel ik letterlijk. Ik besloot dat ik tijdens de hele chemo T-shirts en zomerhemden zou dragen. Als een *fuck you* tegen de ziekte. Als een bericht aan mijn lichaam dat ik er klaar voor was. Hoe ik me 's avonds voelde, daar hebben we het nu niet over. Ga ik ook niet de hele tijd opschrijven. Als je het echt wil weten: vraag maar aan mijn moeder.

—

Ik ging, zolang het nog kon, bijna elke dag naar Kelvin, die het dichtst bij woonde, en vanaf Kelvins huis gingen we dan bijna elke dag naar het strand. Samen met Ward en Bart, plus nog wat andere gasten uit het team. En met Meisje 1, Meisje 2, Meisje 3 en Meisje 4.

Even een overzicht:

Meisje 1 had een vriend in Zeeland.

Meisje 2 was sinds kort de opvolgster van Joslyn en had dus iets met Ward.

Meisje 3 en 4 waren vrij.

En, het is stom om te zeggen, maar ze vonden mij allebei leuk.

Ik wilde geen relatie. Misschien was het de ziekte in mij die geen relatie wilde, ik weet het niet, maar ik moest er gewoon niet aan denken.

Nee, als ik eerlijk ben weet ik het wel. Ze zeggen: 'Kanker heb je nooit alleen', en dus zouden meisjes Mr. K. er gratis bijgeleverd krijgen. Dat kon ik ze niet aandoen.

Dat is de mooie verklaring. Maar ik werd gewoon niet verliefd. Nooit. Ik weet ook niet waarom. Ik was waarschijnlijk

– te jong
– te veel met mezelf bezig
– homo. NEE GRAPJE DAT IS NIET ZO!

In elk geval: een monnik was ik nou ook weer niet. Het was zo'n dag waarop er, als je flink zat te snikken in de zon, precies op tijd een briesje langs waaide. We lagen op onze handdoeken en we hadden onze zonnebrillen op. Er was ijs, het drupte in strakke witte druppels op onze strakke bruine huid. En het werd negen uur, en het was nog altijd warm, en het werd tien uur, en een beetje donker, en het bier begon de baas te worden in mijn hoofd – dus ik reageerde veel te laat toen Meisje 4 opeens haar arm om mijn schouders legde.

Dat was niet de bedoeling.

Een paar maanden geleden, op Barts verjaardag, had ik met Meisje 3 gezoend. Dat was ook al niet de bedoeling.

Het was nogal een heisa geworden, Meisje 4 en Meisje 3 vlogen elkaar in de haren, dus ik kon er nu maar beter ver van blijven, van dit wraakgeflirt.

Maar ja, als ik dronken ben raak ik met de hele wereld bevriend. En ik had er eigenlijk ook wel zin in. En even verderop zat Meisje 3 te foezelen met Bart. En ik moest eigenlijk naar huis, dus veel problemen konden er niet van komen. En dit was feitelijk mijn vakantie. En, en...

'Max,' fluisterde Meisje 4 in mijn oor.

'Ja-haa?' zei ik.

'Ik ben al sinds de brugklas best wel gek op je.'

'O,' zei ik.

'Max,' fluisterde ze weer.

'Ja?'

'Ik vind het zo erg,' zei ze, 'wat er met je gebeurt.'

Plotseling deinsde ik terug. Mijn hoofd werd in één keer nuchter geveegd. Ik wist het weer: ik wilde niks. Ik vond deze meisjes niet leuk, niet op die manier.

Ze probeerde me te zoenen, maar ik boog opzij en werd nog net op tijd door een ingeving gered. 'O,' zei ik, 'ik mag niet aan eh... speekseloverdracht doen. Infectierisico, weet je wel, voor de eerste kuur.'

Ze liet haar armen een eindje zakken en keek me onderzoekend aan.

Na een tijdje zei ze: 'Ik begrijp het.'

Nu liet ze me helemaal los en ik wilde al overeind komen om eerst mijn shirt en daarna mijn fiets te gaan zoeken, toen ze toch haar hand weer op die van mij legde en zei: 'Ik reserveer je voor over acht maanden.'

'Ja, joh,' lachte ik, en ik stond op.

'Ga je weg, Bobby?' riep Kelvin.

'Ja,' zei ik. 'Ik moet gaan slapen. De mazzel!'

'Doei,' riepen de anderen.

'Dag Bob,' zeiden Meisje 4 en Meisje 3 tegelijkertijd.

Ik sjokte opgelucht weg, maar toen schreeuwde die klote-Kelvin klote-hard: 'We hebben het allemaal gehoord, hoor! Wat je haar hebt beloofd!'

—

Er was telefoon voor me. 'Dag,' zei een man, die zich voorstelde als Jan-Jaap of Jaap-Jan, dat heb ik nooit kunnen onthouden, 'ik ben je nieuwe oncoloog. Ik was op vakantie, dus we hebben elkaar niet eerder ontmoet. Maar ik bel even om te vragen hoe je eerste chemo was.'

'Uh,' zei ik, 'die is nog niet geweest.'

Jan-Jaap of Jaap-Jan begon te hakkelen. 'Eh, wat, oh, hè? Ik dacht dat je... Wacht even...'

Hij putte zich uit in excuses. Het was een stomme vergissing. Hij zou – wacht, hij kon meteen de afspraak maken voor volgende week.

Ik gaf de telefoon aan mijn moeder.

'Het wordt waarschijnlijk maandag,' zei ze, toen ze ophing. 'Ze bellen morgen de juiste tijd nog door. Wat een fout, zeg. Hoe vond je dat hij klonk?'

'Best,' zei ik en ik rende naar boven.

Beetje gamen. Berichtje op Facebook schrijven. *Beste allemaal, nu gaat het beginnen, aanstaande maandag zal ik* – enzovoort. Want nu ging het beginnen. Nog even werken (donderdagavond, vrijdagavond). Nog even zestien worden (vrijdag). Nog even een feestje vieren (zaterdag). Nog even normaal zijn (zondag). En dan, maandag:

Max, startpistool, BAM.

—

Ik heb dus besloten dat dit een compleet verslag is, met alle hoogte- en dieptepunten. Maar het probleem is: sommige dingen weet ik helemaal niet meer. Zo kan ik me bijvoorbeeld bijna niets herinneren van mijn verjaardag. Zestien jaar worden, het lijkt heel wat, maar het enige wat ik voor me zie zijn een paar cadeaus en één chippie.

Dat chippie zag er raar uit. Groen aan de onderkant. We zaten op mijn kamer en Ward zei: 'Er zit schimmel op.' Ik snaaide hem uit zijn vingers. Zei: 'Ik ben toch al ziek. Geef maar hier.' En stak hem in mijn mond.

Die cadeaus:

1 Een heleboel kaarten. En mails. En telefoontjes. En bezoek. Een voetbaltrainer die ik al een paar jaar niet meer had gezien. De oma van een vriend die ik al sinds de basisschool niet meer sprak. Ik weet de details niet meer, en de woorden 'sterkte' en 'beterschap' zijn eigenlijk best raar, als je erover nadenkt, maar elke keer dat ik zo'n woord las of hoorde stroomde er een lekker lauw sjuutje door mijn buik. Soms klonk er onmacht door in die woorden op zo'n kaartje, en dan voelde het (ik ben vreemd, ik weet het)

alsof ik de volwassene was en degene die het schreef of zei het kind. Maar toch: ze schreven me. Of ze zeiden iets tegen me. Want er waren ook mensen die me niet meer aan durfden te kijken als ik langsliep. Die dachten misschien dat ik het niet doorhad – nou, kankeratleetje had alles door.

2 De wereldkampioenschappen voetbal waren geëindigd met een oranje kater: Nederland verloor de finale. Maar het was met al dat ziekenhuisbezoek grotendeels langs me heen gegaan. Ik organiseerde altijd de online wedpooltjes van mijn vaders collega's. Dit jaar had ik het halverwege afgezegd. Kon niet anders. Die mannen begrepen het, en ze wilden zelfs dat ik het prijzengeld kreeg. Ik had ze gemaild: zo ben ik de pool niet gestart, het moet blijven zoals het was, ik ga het niet aannemen, dank jullie wel, maar echt niet. En nu kwam een van die collega's langs. Met een gloednieuwe laptop. 'Het is een anoniem cadeau,' zei hij. 'Anoniem van wie?' vroeg ik. 'Van een groep anonieme mensen die anoniem wil blijven,' zei hij.

3 Van mijn broers kreeg ik een stapel petjes. Ze zeiden: 'Straks word je lelijk, en wie moet daar dan tegenaan kijken? Wij.' 'Lennart!' riep mijn vader, 'Sam!' Hij draaide zich naar mij. 'Als jij kaal wordt, ga ik ook kaal,' zei hij. 'En je oom en opa en Bart en Ward en Kelvin. Dat hebben we al besproken.' 'Nee!' riep ik. 'Dus jullie worden straks lelijk en wie moet daar dan tegenaan kijken? Ik.'

4 Van mijn vrienden kreeg ik, zoals gewoonlijk, flau-

wekul. Bart kwam met een porno-dvd. We hadden boven chips gegeten, Fifa gespeeld en we zouden gaan chillen bij Kelvin. We liepen naar beneden, kletsten nog wat met mijn ouders en na een tijdje vroeg ik: 'Waar is Bart?' Zat hij in zijn eentje op mijn kamer. Voor die film. 'Bob,' zei hij, 'moet je kijken wat ze doen.'

—

Ik weet heus wel dat veel mensen in die tijd opkeken van hoe ik me gedroeg. Maar ik bewoog gewoon overdag, ik lachte, ik had zo veel mensen om me heen, ik was afgeleid, en die moordenaar die ik in me meedroeg hield zich rustig.

Die moordenaar was zelf natuurlijk ook afgeleid, en misschien moest hij, net als ik, lachen om Bart en Ward en Kelvin, of om mijn broertjes. Maar 's nachts, zonder al die gekken om me heen, begon hij te fluisteren. Dan vroeg hij me of ik dat percentage van tien procent nietoverlevers toch niet behoorlijk groot vond. Waarom ben je er zo zeker van dat jij bij die negentig procent zal horen? Dat vroeg hij. Eénennegentig, zei ik dan. Als jij de cijfers ombuigt tot éénennegentig, mummelde de moordenaar, dan buig ik ze naar negenentachtig. Of achtentachtig. Zevenent...

Kijk, in de nacht ben je van de wereld. En als je dood bent – dan ook.

De nacht en de dood, ze lijken op elkaar.

Die laatste zondag voor de chemo was rustig geweest, ik was vroeg naar bed gegaan, maar ik kon niet slapen, en mijn moeder kwam nog even kijken.

Ze zag dat ik nog wakker was.

En oké, ze zag dat ik huilde (nu vertel ik het dus toch).

Met je moeder naast je, 's nachts, en met in je lijf een ziekte die je probeert neer te halen, is dat niet zo gek, toch? Ook niet als je zestien bent?

Ik ben er niet trots op, maar het gebeurde.

Het duurde niet lang hoor, mijn moeder kon al snel weer naar haar eigen slaapkamer toe. Maar eerst ging ze naast me zitten. Ze aaide over mijn haar en zei: 'Laat het toe, Max. Het zou raar zijn als je dit soort momenten niet zou hebben.'

En toen hoorde ik haar, even later, zelf ook huilen. Ze zocht troost bij mijn vader.

Ze weten waarschijnlijk niet hoe dun de wanden zijn, want ze fluisterden, en ik kon mijn vader woord voor woord verstaan.

Hij zei: 'Het ergst vind ik het om naar zijn studieboeken te kijken.'

Ik begreep toen niet goed wat hij daarmee bedoelde. Mijn studieboeken? Maar wat ik wel begreep was dat mijn moordenaar ook hen te pakken had. Mijn ouders hadden me op de wereld gezet, en de kanker probeerde me er weer vanaf te werken. Dat was ook een aanval op hen.

Het was zo triest om te horen en ik kon het niet tegenhouden, ik huilde opnieuw.

Totdat ik tegen mezelf zei: *eh... had je misschien liever gewild dat het ze niks zou doen? Dat ze fluitend verder zouden leven, zonder enig verdriet?*

Die gedachte hielp.

Morgen ga ik vechten, dacht ik. Of nee, de artsen gaan vechten, en ik hoef alleen maar te doen wat ze zeggen. Kan het simpeler?

Het kon niet simpeler.

Dus ik viel in slaap.

En toen kwam God even langs.

Tegen de ochtend was hij er opeens. En ik geloofde helemaal niet in een god! Toch verscheen hij in mijn droom. Dat wil zeggen: ik zag geen beeld, ik hoorde alleen maar een zware stem. Het was een indrukwekkende stem, een stem die ik niet kende en ook niet na zou kunnen doen. Maar dat het God was die sprak was meteen duidelijk, want hij zei: 'Ik ben degene die beslist over leven en dood.'

Dat was alles.

Ik ben degene die beslist over leven en dood.

Bedoelde hij dat als waarschuwing? Of als geruststelling? Als herinnering, misschien? Ik snapte er niks van.

Later heb ik die leipe droom aan onze huisarts voorgelegd. Dat is een geweldige man, en hij heeft er verstand van, want hij gaat naar de kerk. Hij zei: 'Ik noem het geen droom. Ik noem het een visioen.' Ik vroeg: 'Een visioen? Moet ik daar dan iets mee?' En de dokter antwoordde: 'Dat kan ik niet voor jou bepalen. Dat moet je zelf doen.'

In elk geval: wat het ook was, een droom of een visioen, ik werd er wel opgewekt wakker van. Ik lag nog even aan het licht te wennen en dacht: Bob, ga je nou in God geloven? Nee, dacht ik, dat zou egoïstisch zijn. Ik heb nog nooit in mijn leven religieuze gevoelens gehad, en dan, zodra er problemen zijn: hup, God erbij halen. Zo'n soort gelovige wil ik niet zijn, dat is oneerlijk.

En toen sprong ik uit mijn bed, ik liep naar de computer en schreef op Facebook:

Deze ziekte gun ik niemand, en dus ook mezelf niet. Toch zijn er positieve kanten. Ik heb bijvoorbeeld al best veel geleerd. Ik vond laatst een oude maatschappijleer-opdracht terug. We moesten een rijtje maken van de belangrijkste dingen in het leven. Ik had rijk worden op één gezet. Rijk worden! Echt waar. Gezondheid stond op vijf. Nou, ik kan jullie zeggen: gezondheid op één en dan een hele tijd niks. Mijn chemokuren gaan vandaag beginnen en ik zie de komende tijd als een treinrit. Over acht maanden eindigt de reis. Ik rijd rustig mee, en uiteindelijk stap ik uit. Genezen. Vrij. En ik beloof jullie nu alvast: dan gaan we feesten.

—

Chemo is gif dat ze in je lichaam druppelen. Daar gaat het als een terrorist aan de slag. Kankercellen delen en verspreiden zich de hele tijd, maar het chemogif slaat ze neer. Helaas is het dom en blind, dat chemogif. Dus het slaat ook je eigen cellen neer, de cellen die je nagels laten groeien, je haren naar buiten duwen, je afweer opbouwen tegen griep en verkoudheid en zo – dat is een beetje jammer.

Die gifmedicijnen zijn dus agressieve heksen. Maar ze hebben wel superlieve, elfachtige namen. Ik kreeg Epirubicine, en Bleomycine, ik kreeg Dacarbazine en Procarbazine, en dan nog de tweelingzusjes Vinblastine & Vincristine. Een complete Disney-dvd.

We kwamen in het ziekenhuis aan en ik was er onderhand wel klaar voor. Eerst werd ik naar mijn zaal gebracht. Daar kon ik me alvast installeren en mijn belachelijk grote paarse operatiepyjama aantrekken.

In de andere bedden lagen drie kleine, zieke kinderen. En toen werd ik onsympathiek. Ik werd een stomme egoïst. Want dit dacht ik: niet iedereen redt het. Eén van ons, dacht ik dan, één van ons overleeft dit niet.

Behoorlijk ziek, die gedachte, toch? Maar ik kon het niet tegenhouden. En ik zou het daarna nog wel vaker denken, bij andere zalen, andere kinderen, als een soort bezwering: *wie van ons valt om?*

Goed, er kwamen artsen langs, verplegers, verpleegsters, en na een flink tijdje wachten was het zover: ik moest naar de narcosekamer.

Chemowitje en haar elfenzussen komen je lichaam

binnen via een infuus met slangetjes. Die slangetjes sloten ze aan op een dopje onder mijn huid: een *port-a-cath*. Dat is een soort verdeelstation voor de chemo. Dan hoefden ze niet bij elke kuur in mijn arm te prikken. Mijn eerste dag begon dus met een operatie, waarbij dat dopje in mijn borst geplaatst werd. Lekker dicht bij de tumor.

Ze reden me weg in een bed. Eén zuster liep voorop, één achteraan, mijn moeder aan de zijkant. Onderweg zag ik alleen maar plafonds. Na een paar keer links rechts links belandden we in een oranje kamer. Aan de wand hing een televisiescherm, waarin een of ander tekenfilmfiguurtje tijdenlang doorging over het plastic uiteinde van een veter.

Ik weet niet waarom ik juist dat onthouden heb.

Daarna draaiden ze me de echte narcoseruimte binnen, waar op dat moment wel tien mensen bezig waren. Ik dacht: shit, ze gaan me helemaal uit elkaar halen. Ik kreeg uitleg van de anesthesist, en ik zag af en toe mijn moeders gezicht in mijn blikveld verschijnen. Ze droeg een kapje en ze vroeg: 'Gaat het, schat?'

'M-m,' zei ik.

De anesthesist zei: 'Denk maar aan positieve dingen.'

'M-m,' zei ik.

En nadat ze in mijn hand prikten, er een installatie op monteerden waar spul in zat dat me zou verdoven, en me zeiden: 'Nu ga je in slaap vallen', dacht ik dus maar aan taart. Ik dacht: lekkere taart, ik hou van taart. Ik dacht: verjaardagstaart. *Maar ik ben nog steeds wak-*

ker. Dat dacht ik ook. Twee verjaardagstaarten. Drie verjaardagstaarten. *Mam, ik ben nog wakker, het werkt niet!* Een hele zooi verjaardagstaarten, met een hele zooi slagroom. *Help, ik val echt niet in slaa–*

—

Ik kwam bij in de uitslaapruimte en was intens gelukkig. Ik zat onder de rode jodium, want de artsen hadden nogal gespetterd, maar ik wilde meteen uit bed stappen. Er school een ding onder mijn borst dat op een derde tepel leek. Dat kon me niets schelen: ik voelde me alsof ik de postcodeloterij gewonnen had, alsof ik vier gouden medailles omgehangen kreeg, alsof ik de wereldbeker in mijn handen hield. Kortom: ik was hartstikke high. Van de narcose.

Wat er daarna gebeurde weet ik omdat mijn moeder het graag navertelt. Op feestjes en zo.

Blijkbaar riep ik tegen de eerste de beste verpleegster dat ze ongelooflijk mooi was. 'Echt oogverblindend,' zei ik, 'oog-ver-blin-dend.'

Er kwamen nog wat verpleegsters bij, en ook tegen hen zei ik – volgens mijn moeder, en volgens die verpleegsters zelf, die me er nog vaak aan herinnerd hebben – dat ze prachtig waren.

Ik begon aan een soort toespraak. Ik riep dat ik dánkbaar was dat ik hier mocht zijn, bij hen, omdat ze zulk gewéldig werk deden, en dat ik dan wel ziek was, maar dat ik er in recordtijd bovenop zou komen, dankzij hún goede zorgen. 'Echt waar,' bezwoer ik, 'ik waardeer het zo wat jullie doen. En ik heb al heel veel geleerd. Weten jullie wat ik heb geleerd?'

Ik denk dat ik zelf ook geen idee had van wat ik ging zeggen.

'Nee?' zeiden de verpleegsters, er stonden er inmiddels vijf aan mijn bed.

'Eh...' zei ik.

Mijn moeder zat me op dat moment waarschijnlijk aan te kijken met zo'n glimlach van: benieuwd waar je nu mee aankomt, Maxje.

'Eh...' zei ik. '*Wie denkt dat niets twee kanten heeft staat waarschijnlijk alleen.*' Ik had onderweg naar het ziekenhuis namelijk in het spreukenboekje zitten lezen.

'Ahhh,' zeiden de verpleegsters, smeltend. 'Zo wijs. En zo wáár.'

'Ja,' zei ik, 'en... en...'

'Wat?'

'*Wie kijkt naar het verleden staat met zijn rug naar de toekomst.*'

'Ahhh,' zeiden ze weer, en bij minstens twee van de vijf sprongen de tranen in de ogen. 'Max,' vroegen ze, 'ben je echt pas vijftien?'

'Net zestien,' zei ik. '*Een snooze-alarm is een slecht alternatief voor een wekker.*'

'Hahahaaa,' zeiden ze.

Ja – ze waren allemaal verliefd op me. Jammer dat ik me er niets meer van kan herinneren.

—

Of misschien helemaal niet jammer. Later vroegen de jongens wel eens: ‘En, Bob, lekkere chickies, die verpleegsters?’ ‘Oog-ver-blin-dend,’ zei ik dan, ‘en allemaal tegen de zestig.’

Maar ik hield van ze, echt waar.

Dat begon al op die eerste middag. Ik was na mijn actie in de uitslaapruimte weer ingedommeld, en twee uur later had ik hoofdpijn en was ik duizelig. Ik werd naar mijn ziekenhuiskamer gebracht en daar was Marina.

Marina was een van de verpleegsters die ik nog vaak zou zien. Ze had in haar leven al minstens twee miljoen chemozakjes aan een infuusstandaard gehangen en minstens twee miljoen naaldjes in aders en port-a-caths geprikt, maar elke keer weer legde ze uit wat ze ging doen. Alsof het voor haar ook nieuw was, alsof ik haar eerste patiënt was. Niets was routine, ze was altijd geïnteresseerd en ze liet me zelf beslissen wanneer het gif naar binnen mocht. Toegegeven: daar wordt een verpleegster geen chickie van. Maar wel een behoorlijk prachtig mens.

Het was tijd.

Het slangetje zat in mijn port-a-cath, het eerste zakje chemovloeistof hing klaar en ik wist wat er ging gebeuren.

‘Doen?’ vroeg Marina.

Ik zei: ‘Doen.’

En toen vloeiden de eerste scheuten bij me naar binnen. Ik verwachtte dat ik er iets van zou voelen – maar nee, niks. Niet in mijn borst, niet in mijn hoofd.

Of toch. Ik had van mijn ouders voor mijn verjaardag een nieuwe iPod gekregen. Iemand had me Eminem aangeraden, maar het was een heel geklooi met dat ding, dus uiteindelijk had ik er maar één album op kunnen zetten. *Recovery*. Goeie titel.

Ik deed de oortjes in en Marina vroeg: 'Waar luister je naar?' Ik zei: 'Eminem.' Zij: 'Dat is toch die best wel groffe rapper?' Ik: 'Ja. Maar ik ga hem binnenkort ontslaan.'

Want ik werd gek van die raps. Het was te veel geluid en ik ging ervan denken, dus ik plukte de oortjes uit mijn oren.

Rot op met je recovery.

Tot op de dag van vandaag geen Eminem meer geluisterd.

—

Chemo duurt uren. Na dat eerste gif (oranje – daar wordt al niemand vrolijk van) volgt nog een zak, en nog een zak. Tussendoor word je gespoeld met water en met een zoutoplossing, ook uit zakjes. Er is een rode chemo bij (ga je roze van plassen, op zich een verrassende ervaring), en er is een zak die in folie gewikkeld is: Miss Gemene Elfennaam kan zogenaamd niet tegen zonlicht. Kun je nagaan hoe bizar het vocht is dat ze bij je naar binnen gieten.

Een kastje aan de infuuspaal regelt het druppeltempo. Dat kastje begint continu te piepen. Dat is niet de bedoeling, maar het gebeurt. Storing. Slangetje klem, luchtbel in het slangetje, van alles. Niet alleen jouw paal piept om de drie minuten; die van de andere kinderen doen dat ook.

Intussen lig je daar maar. Je staart wat naar de kindertekeningen die er aan de muur hangen. Je vader zit aan de ene kant naast je bed, hij valt van tijd tot tijd in slaap. Je moeder zit aan de andere kant, ze leest of ze puzzelt, je hebt geen idee. Ze kletst wat met de ouders van de overige kinderen, die er ook verrot bij liggen. Er komen berichtjes binnen op je mobiel, maar je bent zo allejezus moe dat je ze niet kunt beantwoorden. Dat doet je moeder voor je. Je denkt steeds: wat voel ik? Ben ik chemoziek of ben ik narcoseziek? Heb ik ergere hoofdpijn dan daarstraks? Zitten de naaldjes nog goed? Hoe voelt die port-a-cath? Daar moet je van afblijven, hebben ze gezegd. Je blijft er niet van af.

Het arme jochie aan de overkant moet van de zuster iets eten. Zijn moeder voert hem. Het komt er net zo hard uit. Ze proberen het nog een keer. Weer komt het eruit. Een geruststellend uitzicht.

Naast je ligt een Afrikaans mannetje. Zijn hele familie komt langs. Neven, nichtjes, het wordt een feestje. Ze delen een soort bami uit. De geur wolkt door de hele kamer. Je wordt er kotsmisselijk van. Ze gebruiken de wc die eigenlijk voor jullie is bedoeld, voor de kankerkinderen. Ook op die wc stinkt het nu naar bami.

Je eigen eten? De oncoloog heeft gezegd dat je flink mag schransen, en ook best vet. Je bent mager, je moet zorgen dat je niet afvalt. Ze komen 's middags vragen wat je 's avonds wilt eten. 's Middags voel je je nog behoorlijk oké, dus je kruist patat aan, met een hamburger en ketchup. 's Avonds ben je aan alle kanten gekneusd en toch prop je die ziekenhuistroep braaf naar binnen. Maar voortaan zwaai je vriendelijk naar gezellige Gera, die iedereen kent, de dame van de maaltijden. 'Weer niks besteld, Max?' vraagt Gera dan. 'Klopt, Gera,' zeg je, 'maar het ligt niet aan jou.' Want voortaan eet je nooit meer hamburgers. En met nooit bedoel je: *nooit*.

En plassen. Je moet de hele tijd plassen. Ik schrijf even van a tot z op hoe dat gaat, misschien interesseert het je.

a) Er gaan liters en liters vocht je lichaam in dus je wil aan één stuk door naar de wc. Anders zwel je op.

b) Correctie: al plas je de hele dag, je zwelt toch wel op.

c) Maar goed: je hebt aandrang.

d) Je rolt als een zombie uit je bed.

e) Je begint naar het toilet te schuifelen, de infuuspaal moet mee.

f) Aan de paal zit een stekker, die stekker mag even los.

g) Maar het snoer mag niet in elkaar draaien.
h) Dus er loopt iemand achter je aan, verpleegster of moeder, om dat snoer vast te houden.
i) Je stommelt de wc binnen. Bamistank.
j) De deur kan niet helemaal dicht, vanwege die snoeren.
k) Er hangt een briefje op de wc, waarop staat dat je verplicht moet gaan zitten. Anders spat je radioactieve chemopies op de grond.
l) Je moeder of een verpleegster staat dus voor de deur.
m) En dan kunnen ze het niet laten om je iets te vragen.
n) Stel het je even voor.
o) Jij zit daarbinnen (zombie, bamistank, deur op een kier) en ze vragen:
p) 'Gaat het?'
q) Jij, daarbinnen (zombie, bamistank, deur op een kier):
r) (grafstem) 'Ja-ha.'
s) Klaar, doortrekken.
t) Terugstrompelen naar je bed.
u) Stekker weer in het stopcontact.
v) Snoer raakt toch nog in de war.
w) Gevolg: gepiep, zuster, gedoe.
x) Eindelijk lig je.
y) Twee minuten later:
z) weer aandrang.

—

Halverwege die allereerste chemomiddag deed ik iets raars.

Ik was naar de wc geweest en in plaats van naar mijn bed terug te gaan schuifelde ik de gang op.

'Wat doe je?' vroeg mijn moeder.

Ik zei: 'Even kijken.'

Maar ik wilde niet kijken. Ik wilde bekeken worden.

Ik ging in de deuropening staan, in mijn belachelijke pyjama, met de resten van die belachelijke jodiumvlekken in mijn nek, met het belachelijke operatiebandje nog om mijn pols, en ik grijnsde.

Waarom deed ik dat? Ik heb echt geen idee.

Misschien was het om die bedompte kamer even te ontvluchten.

Nee, dat was het niet.

Ik denk dat ik wilde laten zien dat ik nu een kankerpatiënt was, op de kinderkankerafdeling. Dat ik bij de kindjes hoorde die ik tijdens mijn onderzoeken op een trapkar rond had zien rijden. Ik stond daar en ik wachtte op het ontzag in de ogen van de mensen die langsliepen. Op de eerbied. Kijk daar, een chemojongen.

Ja, weet je wat het was?

Het was een coming-out. Die ik dus blijkbaar nodig had. Alsof ik via de blikken van anderen tegen mezelf kon zeggen: dit is de waarheid over jou – je bent ziek. En nu door.

—

Om eerlijk te zijn: het viel mee. Ik voelde me klote, maar het was draaglijk. Soms zakte mijn stemming even in, dan keek ik de zaal rond en dacht weer: wie van ons zal er sneuvelen? De jongen die steeds moet overgeven? Het Afrikaanse ventje? Dat meisje in de hoek redt het wel, dacht ik dan, en ikzelf ook, ik zie er net wat frisser uit dan die twee. Dat waren geen mooie gedachtes, ik weet het. Een beetje kinderlijk ook. Alsof wij vieren de complete kankerpopulatie van Nederland waren. Alsof er alleen maar iemand met een bijl langs moest komen om één van ons te vellen, dan kon de rest daarna gezond naar huis. Maar ik had ze nodig, die debiele gedachten. Om weer helemaal normaal te kunnen doen. Zielig mannetje, zei ik daarna tegen mezelf, je bent zestien.

En dan voelde ik me weer een beetje beter.

En opeens was de laatste chemo klaar.

De infuuspaal piepte, dus ik zei tegen mijn moeder: 'Bam. Eénzestiende.'

'Wat?' zei ze.

'Acht rondes chemo,' zei ik, 'en elke chemo is verdeeld over twee weken, dus in totaal moet ik zestien keer naar het ziekenhuis. En nu is éénzestiende klaar.'

'Je moet nog vier uur naspoelen,' zei ze.

Ik zei: 'Mám.'

Maar ze had gelijk. Er moest een laatste zoutoplossing door mijn lichaam. Om de chemo goed te verspreiden, en om te voorkomen dat mijn bloedvaten kapot zouden knallen. Ik dacht eigenlijk dat het ergste voorbij was, maar nee – in die vier uur sloeg de lamlendigheid toe. Het was alsof ik steeds meer koorts kreeg. Het was alsof ik zelf steeds meer een infuuszakje werd: slap, ineenkrimpend.

Een uur voordat het gedaan was belde ik mijn vader, die naar huis was om de tweeling op te vangen. 'Kom ons maar halen, pap. Ik wil zo snel mogelijk naar mijn eigen bed.'

En toen kon ik opeens niks meer ruiken. Bijwerkinkje. Ik vertelde het aan mijn moeder. 'Dat heb je niet zo handig getimed,' zei ze, 'die bamigeur is net een beetje weggetrokken.'

Eindelijk, eindelijk was het klaar. Nu zat ook de hele laatste zoutoplossing in mijn lichaam, nu had ik zestien keer geplast, nu mocht ik naar huis. 'Naar huis ja,' zei de zaalarts, 'maar alleen als dat kan.'

'Hoezo als dat kan?' vroeg ik. 'Natuurlijk kan het.'

Daar was mijn vader. Hij had me een paar uur niet gezien en hij schrok van me. Ik zag het aan hem, ook al hield hij zich netjes in.

Maar hij had mijn broertjes meegenomen.

Ik hoorde ze eerst nog wat geinen op de gang.

Daarna was Sam de eerste die binnenkwam. Hij glipte aan de linkerkant langs mijn vader. Liet zijn ogen over me heen gaan. Verstomde. Draaide zich om – en rende weg.

Meteen erna: Lennart, die rechts langs mijn vader liep.

Ook hij vluchtte zodra hij me zag.

Oké, dacht ik, tot zover mijn broertjes. Duidelijker kan ik het niet krijgen: ik ben verrot.

Mijn moeder ging achter ze aan en even later probeerden ze het opnieuw. Ze kwamen bedremmeld naar me toe en zeiden met gekrompen stemmetjes: 'Hoi.'

'Hoi,' zei ik.

'Hoe gaat het met je?' vroeg Lennart.

Ik zei: 'Je ziet het. Niet al te best.'

Hij knikte. En Sam knikte ook.

Daarna bleven ze zwijgend staan wachten tot ik klaar was om te gaan. Ze friemelden aan de stoelleuning van mijn moeder en keken voorzichtig rond. Zo kenden ze me niet. Zo kenden ze de wereld niet.

—

Mijn trainingsbroek. Een maand geleden liep ik daar nog fanatiek in te sporten en nu leek het me een gigantische klus om hem aan te krijgen. Met veel moeite, en met hulp van zowel mijn moeder als een zuster, worstelde ik me uit mijn pyjama. 'Gaat het echt wel?' vroeg de zuster. 'Ben je niet misselijk?'

Natuurlijk was ik misselijk. Kotsmisselijk zelfs.

'Nee,' zei ik. 'Ik wil naar huis.'

'Goed,' zei ze, 'we proberen het.'

Mijn vader en de jongens liepen voorop, ik zei mijn

zaalgenoten gedag, en daar gingen we. Mijn moeder begeleidde me en de zuster sloot de rij.

We waren nog geen tien meter de gang in of mijn voeten en mijn hele lichaam werden zwaar. Ik werd duizelig, en terwijl ik dacht: nee, niet nu, alsjeblieft niet nu, zei ik: 'Volgens mij moet ik overgeven.'

En: 'Echt, ik moet overgeven.'

Ik werd naar het dichtstbijzijnde kamertje geloodst, gelukkig was het leeg. De zuster duwde een wit bakje in mijn handen – en toen kwam het eruit. Oranje patatkots, hamburgerresten, maagsappen en gal. En ik trilde zo dat ik het bakje niet recht kon houden. Dus: alles over mijn trainingsbroek.

—

'Och och,' zei de verpleegster, 'zo kun je niet weg.' En ook de dienstdoend arts vond dat ik die nacht in het ziekenhuis moest blijven. Het was een uur of negen. Ik was twintig stappen verwijderd van het ellendige bed dat ik nooit meer wilde zien. En ik moest ernaar terug.

De andere kinderen keken niet eens op, ze hadden dit al vaker meegemaakt.

Mijn vader en Sam en Lennart vertrokken maar weer en voor mijn moeder werd een laag bed gehaald, dan kon ze naast me slapen. Dat deden al die moeders daar. Ik kreeg een nieuwe ziekenhuispyjama, er werd een nieuw infuus aangebracht, omdat ik bij het kotsen te veel vocht verloren had, en ik wilde maar één ding: wegzinken. Slapen. Die godganse kutzooi vergeten.

Goed, ik weet dat je inmiddels denkt: kunnen we het weer over handbalmeisjes hebben? Over salsadansen? Desnoods over porno-dvd's? Maar hou nog even vol. Ik moest ook nog even volhouden.

Want ik kon dat slapen wel vergeten.

Een paar elementen uit een overnachting in de hel:

- De nachtarts. Die kwam bij iedereen langs, maar dat lukte hem niet zonder lawaai. Alles bij hem stond op dovenvolume.
- Mijn eigen infuus. Ik ging er autistisch naar liggen staren. Iets anders kon ik niet verzinnen. Ik telde de milimeterstreepjes die nog moesten, de milimeterstreepjes die al weggedruppeld waren.
- Het zweten. Ik lag onder drie ziekenhuisdekens, en ik dreef van links naar rechts door dat bed. 'Moet ik er eentje van je af halen?' vroeg mijn moeder, maar ik was zo futloos, zelfs dat kon ik niet aan.
- De Afrikanen gingen met veel kabaal tandenpoetsen. Om half vijf 's ochtends. Ik zweer het je. Daarna gingen ze gewoon weer naar bed. Dat zweer ik je ook.
- Ten slotte ben ik waarschijnlijk even ingedommeld, want toen ik wakker werd (omdat die druktemakernachtarts kwam vragen of iedereen goed geslapen had) was er iets veranderd: ik kon weer een klein beetje ruiken. Ook nu weer was dat een compleet verkeerde timing. Want dat lieve Afrikaanse jongetje

(echt, er was niks mis met hem) had ook liggen zweten en had ook meurende chemo gehad en... nou ja, laten we zeggen dat de bami terug was. Er kwam een verpleegster vragen wie er wilde douchen, en ik schoof de Afrikaan naar voren, maar nee, zei hij, hij hoefde niet.

Ik wilde ook niet douchen, ik zag niet voor me hoe dat moest. Ik was zo slap, ik zag mezelf echt niet shampooënd rechtop in dat hokje staan. Bovendien wilde ik zo snel mogelijk weg.

Ik had trouwens het gevoel dat mijn haren nu al losser zaten dan normaal. Ik voelde aan mijn wenkbrauwharen, en kijk: ik plukte er al een paar uit mijn vel. 'Kappen,' zei mijn moeder. 'Je forceert het. Dat is niet grappig.'

Ik wilde weg, weg, weg.

Er werd nog wat met de bedden geschoven, want er kwamen nieuwe patiënten – en opeens lag er een heel knap meisje tegenover me, ik denk dat ze zeventien was. Onze moeders gingen met elkaar praten, dat doen moeders. Haar moeder raadde mijn moeder aan praat praat praat een dagboek bij te houden praat praat praat. De haren van het meisje waren ongeveer drie meter lang. We knikten even naar elkaar. Ze schaamde zich zo te zien voor haar moeder, want die vertelde praat praat praat aan mijn moeder dat ze geen geschikte pruik hadden kunnen vinden praat praat praat en zo sjokte de ochtend nog een tijdje door, tot ik eindelijk naar huis mocht.

Ik typte een berichtje aan mijn vader: *Klaar voor poging twee.*

Hij: *Als ik maar niet weer voor niks moet rijden.*

Ik: *Komt goed.*

Het kwam goed, want ik had een plan. Ik dacht: ik loop dit keer achteraan. Als het dan toch fout gaat schiet ik de wc in en doe ik net of ik moet plassen. Beetje kansloos misschien, maar achteraf denk ik dat juist dat plan me rustig heeft gemaakt. Want dit keer – ik werd met een rolstoel vervoerd – haalden we de auto. Ik ging met een teiltje op de achterbank liggen. Maar ook dat ging goed. Toen we tegen een uur of vier thuis waren ben ik meteen gaan slapen. Pas de volgende ochtend werd ik wakker. Het enige waarvoor mijn gelukkige wegdromen onderbroken werd was 's avonds, om een uur of tien, één mexicano en twee frikadellen. Geen hamburger? Nee mensen, geen hamburger. En al helemaal geen bamischijf.

—

Ik kwam uit bed en pauzeerde bij elke traptrede. Gaat het? (vroeg ik mezelf, na tree één). Ja, het gaat wel (zei ik tegen mezelf, tree twee). En nu? (tree drie). Nog steeds (tree vier).

Beneden viel ik om, op de bank, en daar bleef ik de dagen erna liggen. Nou ja, soms ging ik terug naar bed (naar het bed van mijn ouders, ik sliep naast mijn moeder, dan kon ze me ook 's nachts in de gaten houden), maar dat was het zo'n beetje. Het enige wat ik in de eerste vijf dagen na de chemo kon doen was: mezelf naar beneden slepen, mezelf naar boven slepen, staren, slapen, een beetje eten, een beetje denken, een beetje tv kijken.

Wat ik gezien heb (en meestal niet echt leuk vond, maar weet je wel hoeveel energie het een chemojongen kost om te zappen):
- programma's waarin ze auto's pimpen
- programma's waarin ze fietsen pimpen
- programma's waarin ze trekkers pimpen
- programma's waarin ze binnen vierentwintig uur een huis bouwen en waarin iedereen huilt als het af is
- een urenlange oldtimerrace van Rusland naar China
- *Ultimate survival*, met Bear Grylls, een hyperende gek die elke week in een andere bush gedropt wordt en insecten en kamelenmagen moet eten.

En wat ik verder deed was:
- heel soms een zinnetje op Facebook zetten en alle bemoedigende reacties lezen, maar na tien minuten achter de computer was ik dan weer zo afgepeigerd dat ik terug naar de bank ging, blauw fleecedekentje om

dus eigenlijk:
- niks

nou ja:
– stinken.

—

'Max?'

'Mam, ik ben verrot.'

'Max? Luister.'

'Wat?'

'Je moet nu echt gaan douchen.'

'Ik kan niet douchen. Dat red ik niet. Dan moet ik rechtop staan. Dat kan niet. Dan val ik om.'

'Maar...'

'Laat me nou. Ik lig hier best.'

'Ja, maar...'

'Wat?'

'Je begint te stinken.'

Ze had gelijk. Dat chemische spul komt met je zweet mee naar buiten, en dan is het net alsof er een zure oranje wolk om je heen hangt.

Ik vond dat wel oké.

Mijn moeder probeerde af en toe iets met een washandje, maar dat hielp niet echt, en wat ik zei: ik vond het best oké. Ik begon dat Afrikaanse jongetje steeds beter te begrijpen. Hij en ik waren de slachtoffers. Wij móchten meuren.

Er kwam nauwelijks bezoek, dat hielden we af, die eerste dagen, maar toen mijn oma's langskwamen dacht ik: nu gaan we het zien. En inderdaad – ze kwamen binnen, probeerden me een kus te geven, en konden daarna meteen bijna zelf gaan liggen.

Even later hoorde ik ze in de keuken zeggen: 'Het is wel smerig spul hè, die chemo?'

Ja, dit kon nog weleens grappig worden.

Er gingen een paar dagen voorbij, en ik had nog altijd niet gedoucht. Mijn broertjes werden er gek van. Op donderdag zeiden ze tegen mijn vader: 'Trap hem dan gewoon die douche in!' Maar ik weigerde nog steeds. Uit leedvermaak, maar ook uit onmacht: ik wist zeker dat ik flauw zou vallen op de badkamervloer.

En toen kwamen de jongens langs.

Kelvin had me de hele week al berichtjes gestuurd. *We willen komen, wanneer kan het?* Achteraf hoorde ik dat zijn moeder hem aanspoorde, want van zichzelf is Kelvin niet zo actief. *Vrijdag*, zei ik, uiteindelijk. Kelvin regelde het met de anderen, en ja hoor, om een uur of elf kwamen ze aanfietsen. Ik wilde zelf de deur opendoen, en toen ik dat deed, met mijn dekentje om, stonden ze te grijnzen.

'Môgge, Bobby.'

'Môgge.'

'We hebben een film mee. *Unstoppable.*'

'Oké.'

Ze denderden de gang in. Kelvin riep tegen mijn vader: 'Even een sjekkie doen?' En net als altijd trok hij mijn vader mee naar de afzuigkap. De anderen pakten wat te drinken uit de koelkast, melk, cola. Bart had een zak chips bij zich. Ward graaide een handje drop uit de pot – en ik stortte opgelucht neer op de bank, want wat er ook veranderd mocht zijn: zij niet.

De film werd aangezet. Kelvin vroeg: 'Waren er nog lekkere zusters?' Ik zei: 'Vind jij je eigen oma lekker?' En dat was dat.

Wat wel gek was: ze zeiden niks over de stank. Ik denk dat ze lief voor me wilden zijn. Ik dacht: dat klopt niet. En dus liet ik, halverwege *Unstoppable*, een scheet. Een chemoscheet.

De hel brak los. Ze sprongen alle drie op en renden naar de keuken. 'Vergassing!' schreeuwde Bart. 'Ramen open!' schreeuwde Ward en Kelvin kwam niet meer bij van het lachen.

Voor het eerst sinds de chemo lag ik met een brede smile op de bank: zo kende ik ze weer.

PS: Op zaterdagochtend stond mijn vader met zijn hand voor zijn neus bij mijn bed en zei: 'Jij krijgt geen eten meer voor je hebt gedoucht.' En pas toen ik onder de waterstraal stond dacht ik: we kunnen hier natuurlijk ook een krukje neerzetten.

—

Toen we een week later naar het ziekenhuis reden voor het tweede gedeelte van de kuur, was ik zenuwachtig, maar ik keek er ook naar uit. Het zou minder zwaar zijn vandaag, want ik hoefde niet meer geopereerd te worden, en ik zou medicijnen tegen de misselijkheid krijgen. Maar vooral: aan het eind van deze dag zou ik weer in de auto zitten en dan kon ik zeggen: 'Bam, tweezestiende klaar.'

Goed –

we stonden in de file bij Den Haag, we stonden in de file bij Rotterdam, we haastten ons door de parkeergarage, we duwden de deur met Chemo-Kasper erop open, ik mompelde: 'Yo, Kasper,' we konden meteen door naar de poli waar ik bloed moest laten prikken bij de man die ik nog veel vaker zou zien, een vriendelijke Marokkaan die een zoon van mijn leeftijd had, ik dropte drie druppels, hij zei: 'Tot de volgende keer,' we haalden koffie en water, kregen de uitslag, alles was goed, op weg naar mijn bed keken de kinderkoppies op de afdeling me aan alsof ze wilden zeggen: 'Hallo nieuweling'

– ik was klaar voor een verse gifaanval.

Die viel inderdaad mee.

Maar eerst viel het nog even vies tegen, want voordat mijn chemo erin ging, moest de port-a-cath schoongemaakt worden.

De vorige keer was dat tijdens de operatie gebeurd, dus toen had ik er niets van gemerkt. Nu des te meer. Het bleek het kuuronderdeel waar ik het meest tegenop zou blijven zien. Ten eerste: uit het desinfecteermiddel dat ze op je borst smeren bulkt een snijdende alcoholdamp, en daar hang je met je neus maar een decimeter boven. Ten tweede: die port-a-cath zit onder je huid, dus daar prikken ze dwars doorheen en dat doet pijn. Ten derde: ze spuiten er een zoutoplossing in die zo hels smerig is dat er een bittere smaak door je mond trekt, een smaak die het resultaat lijkt van een innige samenwerking tussen Voldemort, The Joker en Satan zelf.

Of nee, erger – Winnie de Poeh.

Dat spoelen doen ze namelijk in een apart kamertje, en daar hangt hij, op een scherm aan het plafond: De Beer Aan Wie Je Voortaan Altijd Moet Denken Als Je Moet Kotsen, De Beer Die Je Tong Belegt Met Ellende,

Hij Die De Ware Verspreider Is Van Het Kwaad, Hij Die Zo Snel Mogelijk In Een Eeuwige Winterslaap Gebracht Dient Te Worden:

Winnie de fokking Poeh.

—

Mijn vader keek tv, mijn moeder las tijdschriften en ik lag als een hondje aan de chemolijn. Maar de dag was geen ramp. Ik kon met wat meer aandacht naar mijn kamergenoten kijken. Naar kleine Quint, die gek op eten was en begon te jubelen als zuster Gera met de vreetkar binnenkwam. En naar Damian van veertien, met wie ik over voetbal kon praten. Hij hoorde op dinsdag dat hij bij Feyenoord mocht komen spelen, en op donderdag dat hij leukemie had. Twee kale jongens, de een nog maar een kleuter en de ander ongeveer van mijn leeftijd, maar ze waren wel collega's van me, we waren alle drie in een beroerd baantje beland.

Elk halfuur verlepten we erger, dus het praten hield al snel op, maar Marina, de lieve omazuster, was er en de zakjes drupten rustig leeg.

De oncoloog kwam langs. Niet de opperoncoloog met wie we, vanwege de vakantie, tot nu toe gesprekken hadden gehad, maar mijn eigenlijke oncoloog: Jan-Jaap of Jaap-Jan.

Er zijn heel wat volwassenen die terwijl ze iets tegen je zeggen, eigenlijk met je ouders willen gaan koffiedrinken. Zulke mensen denken dat ze tegen een zestienjarige die er toevallig een beetje jong uitziet moeten praten alsof hij net uit de baarmoeder is komen zwemmen. Zo'n soort volwassene was Jan-Jaap of Jaap-Jan niet.

Jan-Jaap of Jaap-Jan was een man die me niet voor de gek zou houden. Hij verontschuldigde zich nog eens voor het misverstand aan de telefoon, hij wilde alles weten over mijn eerste chemodag, hij beantwoordde al mijn vragen en hij keek me recht in de ogen. En toen zei hij: 'Vandaag houden we je hier niet. Dat zie ik al.'

'Klopt,' zei ik, 'want ik blijf absoluut nooit meer slapen. Desnoods loop ik naar huis.'

Jan-Jaap of Jaap-Jan lachte.

Hij zei dat hij over een paar dagen zou bellen om te horen hoe ik me voelde. Daarna liep hij weg, maar hij kwam weer terug.

'Max,' zei hij, 'weet je dat je begeleiding kunt krijgen? Ik bedoel: van een maatschappelijk werker, of een geestelijk raadsman, of een psychologe. Dat hebben ze je toch verteld?'

'Ja,' zei mijn moeder, achter me, maar ikzelf kon het me niet herinneren.

Jan-Jaap of Jaap-Jan bleef even staan. Hij wachtte tot ik antwoord gaf.

Ik dacht even na en zei toen: 'Die psychologe lijkt me wel interessant.'

Ik zag mijn vaders wenkbrauwen de hoogte in schieten.

'Stuur haar maar langs,' zei ik.

Tweede keer wenkbrauwen.

'Doe ik,' glimlachte Jan-Jaap of Jaap-Jan, 'goeie zet.'
Derde keer wenkbrauwen.

—

Ken je *Breaking Bad*, die serie? En dan de zoon, Walter White Jr.? Kun je je voor de geest halen hoe hij loopt? Zo liep de psychologe ook. Maar dan met een rekje dat ze voor zich uit schoof, niet met krukken. Ik voelde me schuldig omdat ik had gezegd: 'Stuur haar maar langs', want een halfuurtje later kwam ze moeizaam bewegend naar mijn bed. Maar ze parkeerde haar looprek zonder problemen, ze keek me vriendelijk aan en stak haar hand uit.

'Hoi Max,' zei ze. 'Hoe voel je je? Ik ben Isabel en in al die jaren dat ik hier werk heb ik nog nooit meegemaakt dat een jongere zelf naar me vraagt. Meestal gaat dat via de ouders, of via de oncoloog. Bijzonder, hoor. En toevallig heb ik tijd. Dus... als je wilt...'

'O,' stamelde ik, 'ja, eh...'

'Een kennismakingsgesprek,' zei ze, 'op mijn kamer. Het is hier op de afdeling, je kunt er gewoon met je infuuspaal naartoe. Red je dat?'

Boeken en Playmobil. Dat was het eerste wat ik zag, daar in dat kleine, witte kamertje van Isabel. En verder: een rommelig bureau en een zitje met drie stoelen. Ze draaide een van die stoelen naar mij, schoof een andere weg, wees naar een stopcontact voor mijn infuus, stalde het looprekje naast haar bureau en ging toen zelf in de derde stoel zitten. Dat deed ze erg handig allemaal, en snel ook. Ik stond nog even naar de speelgoedkast te kijken, en daarna klungelde ik wat met mijn snoer, verzette mijn paal wel drie keer, maar toen, toen zat ik daar opeens.

En ze vroeg me van alles.

En ik vertelde van alles.

En dat is de samenvatting.

Nou ja, ik heb het over school en voetbal gehad, en over mijn ouders, mijn broertjes, mijn vrienden, over het kanker-hellebericht en over de chemo-hellenacht – we inventariseerden zo'n beetje mijn hele leven. Isabel zat met een schrift op schoot, waarin ze maar af en toe iets opschreef. De rest van de tijd keek ze me aan.

Sommige ogen duwen je weg, of maken je verlegen. Maar die van haar deden het tegenovergestelde: ze maakten ruimte voor me. En dan maakt het echt niet uit of die ogen van iemand zijn die zeventig, zestig, vijftig of ergens halverwege de veertig is, zoals bij Isabel. Nee, je gaat er lekkerder van ademen, en je praat. Dat overkwam me in dat psychologenkamertje.

Na drie kwartier begon mijn infuus te piepen, en dus moest ik terug. Maar dat gaf niet. Isabel zei: 'Dat was gezellig, Max. Onthoud: je mag hier komen wanneer je wilt.'

En ik dacht: hé.

Hé, dacht ik, oké.

—

Aan het eind van die dag – het was een uur of vijf – ging ik in de auto zitten en zei: 'Bam, Tweezestiende.' Precies zoals ik het die ochtend voor me had gezien.

En toen we thuis waren vrat ik alles wat mijn vader uit het frituurvet trok. Net als de week ervoor.

Maar ik ging niet meteen naar bed. Kelvin had een berichtje gestuurd en ik wilde even reageren.

Urineboy, schreef ik, *ik heb het weer overleefd.*

Wanneer kunnen we langskomen? schreef hij. *Filmpje kijken en zo?*

FF kijken hoe t morgen gaat, typte ik.

Kee, stuurde hij.

De chemo's waren vanaf nu op donderdag, en omdat de eerste vijf dagen de verrotte dagen waren, lag ik het hele weekend dus op de bank, onder mijn blauwe dekentje. Op zondag vroeg Kelvin nog een keer of ze konden komen. *Doe maar*, schreef ik.

Het werd een patroon. Alle zondagen, tijdens de hele chemoperiode, wilden ze langskomen. Ik stuurde: *yo*, en dan waren ze er.

En als ze er waren schaamde ik me niet voor mijn slapte, ik schaamde me niet voor mijn stank en toen ik een dikke kop begon te krijgen van de Prednison, schaamde ik me ook daar niet voor. Ik sloeg mijn dikke fleecedekentje om en deed, net als die eerste keer, de week ervoor, zelf de deur open. Ik wilde ze fris en fit zien binnenkomen. Soms denk ik dat ik me wilde spiegelen aan hen. Dat ik heel even, heel kort, in de deuropening, op de drempel, aan Kelvin, Bart en Ward wilde zien hoe ik geweest was, en hoe ik over een tijdje ook weer zou zijn. Als een herinnering, als een vooruitblik.

Acht maanden lang waren ze er en acht maanden lang voelde ik me beter als ze er waren. Dat durf ik hier wel te zeggen, want ik heb beloofd dat ik eerlijk zou zijn. Ze vroegen niks, ze waren niet geïnteresseerd in de ziekenhuisdetails. Maar intussen hielden ze alles wat normaal was gaande.

Ik lachte en kreeg weer energie. We hadden het nergens over, maar in hun gezelschap was ik de oude. We keken in augustus gewoon bij mij thuis naar de Liverpool-wedstrijden. Dat hadden we voor de zomer ook steeds gedaan. En net als toen stond ik scheldend op de bank als mijn ploegje verloor.

Zo is het: als Bart, Ward en Kelvin binnenkwamen, was ik Bobby.

Als ze vertrokken werd ik weer ziek.

—

'Ik kan niet tegen mijn verlies.'

Dat had ik anderhalf jaar daarvoor gezegd, toen de bedrijfsleider van de supermarkt waar ik wilde werken aan me vroeg wat mijn slechtste eigenschap was.

Ik had me voorbereid. Ik dacht: het moet een slimme slechtste eigenschap zijn. En ja hoor, de manager lachte, hij zei: 'Dat kan nog wel eens een voordeel zijn' – en nam me aan.

Na mijn proeftijd als vakkenvuller kreeg ik de hoogste beoordeling in de geschiedenis van het filiaal. Ik wil hier niet opscheppen, want oké, ik had dan wel een 10 voor hard werken, maar ook een 6 voor netheid, maar wat ik ermee wil zeggen is dit: het is waar. Ik kan niet tegen mijn verlies, dus doe ik er alles aan om te zorgen dat ik niet verlies.

Verhaaltje tussendoor: ik sta frisdrank te vullen, komt de bedrijfsleider met de allerhoogste bazen langs. 'Dit is Max,' zegt hij, 'niet alleen de snelste vuller van dit filiaal, maar van jullie hele keten.' De hoogste bazen kijken kritisch naar wat ik sta te doen en zeggen: 'Snel is-ie misschien wel, maar is-ie ook nauwkeurig? Een van die prijskaartjes zit verkeerd.' Ook nu kan ik niet tegen mijn verlies, dus ik zeg: 'Klopt. Dat heb ik gedaan om u te testen.'

Cliffhanger: hoe reageren de hoogste bazen? Grommen ze of lachen ze?

[Spannende pauze]

Ze lachen.

Maar op de dag dat we het definitieve gesprek met de oncoloog hadden gehad, moest ik opbellen om te zeggen dat ik die 10 niet meer zou halen.

De bedrijfsleider nam vrolijk op. 'Maxxx!' riep hij door de telefoon.

'Eh ja...' zei ik, en ik vertelde wat er aan de hand was.

De bedrijfsleider schrok verschrikkelijk. Hij stamelde: 'Ah shit man. Klotezooi, man.' Daarna zei hij: 'Ik loop even naar achteren.'

Ik hoorde hem de deur van het magazijn dichtdoen, en ik hoorde hem ook even snuffen. Hij pakte zijn toestel weer op en zei: 'Shit man, wat een klotezooi.'

'Ja,' zei ik.

'En nu, Max?' vroeg hij. 'Hoe gaat je behandeling eruit zien?' Maar nog voor ik kon antwoorden riep hij opnieuw: 'Klotezooi, klotezooi.'

Hij was helemaal van slag. En daardoor raakte ik ook van slag.

Aan het eind van het gesprek legde ik de telefoon neer en moest huilen.

Nu had ik toch verloren.

Hij had me gevraagd of ik nog kwam werken. 'Graag ja,' zei ik, 'als het me lukt.'

Hij zei: 'Je bent altijd welkom. Al kom je maar een uurtje. Al kom je maar om je gedachten wat te verzetten.'

Maar dat bleek allemaal veel te hoopvol. Die eerste chemoweken kon ik geen twee minuten rechtop blijven staan. Mijn moeder had de bedrijfsleider opgebeld en uitgelegd waarom ik niet kon komen.

En toen zat hij op maandag plotseling bij ons in de tuin. Het was warm, en ik voelde me net weer wat beter.

Hij vroeg uitgebreid hoe het met me ging. Hij dronk een colaatje. Naast zijn stoel stond een groot vierkant ding. Met cadeaupapier eromheen.

Na een kwartiertje schraapte hij zijn keel. 'Max,' zei hij, 'waar ik eigenlijk voor kwam... We hebben allemaal samen wat voor je gekocht, want iemand van de kassa heeft een oom, en die oom woont naast... Nou ja, hier.'

Hij overhandigde me het pak. Ik scheurde het papier eraf. Er kwam een ingelijst voetbalshirt uit. Van Dirk

Kuijt, die in die tijd nog bij Liverpool speelde.

Dirk Kuijt is een van de grootste voetballers die we ooit hebben gehad. Hij is een legende. Die woont naast de oom van de kassière van – oké, wat ik wil zeggen is: het was zo'n geweldig cadeau, dat ik er een beetje radeloos van werd. Ik stotterde natuurlijk 'dank je wel' en zo, maar alles wat ik zei was te klein. Het drukte mijn verbazing en waardering en ontroering niet uit, ontroering ja, ik weet nooit precies wat dat betekent, maar de tranen sprongen in mijn ogen, dus volgens mij was ik ontroerd.

En eenzaam was ik ook.

Ik weet niet of ik dat goed kan uitleggen.

Ik was dus de jongen voor wie een veel te mooi cadeau was gekocht. Door mensen met wie ik normaal gesproken vakken vulde – glibberige melkpakken, torens boterkuipjes, schappen vol ketchup, bakken met prei. Ik zat nu hier, een patiënt in eigen tuin, met nog veertienzestiende aan kuren te gaan. Ik was dankbaar en onder de indruk, dat vooral. En tegelijkertijd helemaal alleen.

—

Week drie: geen chemo. Opknap- en aansterktijd.

Ik lag niet meer de hele tijd op de bank. Ik Fifa'de soms. Ik liep af en toe een rondje om het huis.

En ik wilde voor het eerst weer een bal aanraken.

Ik belde de jongens. Die belden andere jongens. Ik meldde me op het vaste veldje en iedereen riep: 'Ouwe! Goed dat je er bent!'

Dit was geen officiële training, dit was gewoon een partijtje. Dat wat voetballen voor mij zo leuk maakt – strijd, tactiek, streberigheid – ontbrak dus, maar het leek me wel slim om rustig aan te beginnen.

Rustig aan? Leuk bedacht – maar het past niet bij me.

Ik donderde er vol in, en dus moest ik al na tien minuten op mijn hurken gaan zitten, met één hand aan de grond, even uitrusten, even op adem komen. Ik was veel te snel veel te moe, en die moeheid sloeg me de rest van de tijd gemeen in mijn gezicht. Ook al deed ik de helft van de potjes niet mee, toch: mep, mep, links en rechts om mijn oren, *dit kun je nog niet, vriend, je bent ziek, vriend.*

Maar ik buffelde door.

Af en toe slenterden de anderen naar me toe. Ze deden alsof het normaal was dat ik met een wit gezicht aan de kant zat en vroegen me niets.

We hadden het over voetbal, over meisjes, over werk en over welk broodbeleg we op een onbewoond eiland het ergst zouden missen: pindakaas of Duo Penotti.

Opeens zei Ward: 'Hé jongens, ik heb ook een bobbel op mijn arm.'

'Wat?' vroeg iemand.

'Kijk dan hier,' zei Ward, en hij wees op zijn bovenarm, 'dit is toch een bizarre bult? Volgens mij heb ik het Bobby-syndroom.'

Ik lachte, maar de anderen vielen stil.

Ward keek op en schrok. 'O kut,' zei hij, langzaam

rood aanlopend, 'Bob, ik dacht er niet bij na. Het schoot er zomaar uit. Sorry, Bob, echt.'

'Lul,' mompelde Kelvin, maar ik maakte een wegwerpgebaar. 'Stelletje malloten,' zei ik, 'spelen we nog verder, of niet?'

Ik stond op, de anderen stonden op, en toen Ward even later in het veld langs me heen rende, zei ik: 'Laat het morgen maar even aan je huisarts zien.'

Hij hield in en vroeg: 'Denk je?'

'Natuurlijk,' zei ik, 'maar het is niks.'

'Niks?' vroeg hij en draaide zijn arm weer naar zijn gezicht.

'Een vetknobbeltje,' zei ik.

'Oké,' zei hij, 'bedankt, Bob.'

Alsof ik de deskundige was.

Ik stak mijn duim op – en na twee uur jakkeren sleepte ik mezelf naar huis.

Daar ging ik op bed liggen en viel, met mijn zweetkleren nog aan, in slaap.

—

Midden in de nacht werd ik wakker. Ik sliep inmiddels weer in mijn eigen kamer, en iemand had me mijn schoenen en broek uitgetrokken, en het laken over me heen gelegd. Mijn moeder, natuurlijk.

Ik lag daar en mijn ogen vielen niet meer dicht.

Het Bobby-syndroom.

Bij een van de gesprekken met de oncoloog hadden we een kruiwagenlading folders meegekregen. Over 'leven met kanker', over 'leven met bijwerkingen', over 'leven met chemo' – en die wilde ik allemaal niet lezen.

Maar op een van die folders stond het nog eens: *kanker heb je nooit alleen.* En dat klopt. Ik bedoel: ik had niet om deze ziekte gevraagd en ik had ook niets gedaan om hem naar me toe te lokken. Hij was er en dus trok ik mijn bokshandschoenen aan. Ik moest elke dag een zak pillen slikken, en ook al probeerde ik er onderuit te komen, toch nam ik ze aan wanneer mijn moeder er laat in de avond weer mee naar boven kwam sjokken. Ik zou heus die resterende twaalfzestiende chemogolven netjes door mijn aderen laten spoelen, inclusief Winnie-de-fokking-Poeh-smaak in mijn bek. En ik ging het overleven.

Maar die moeder van mij.

En die vader van mij.

En Sam en Lennart.

En zelfs mijn idiote vrienden.

Wat konden zij doen?

Mijn chemoscheten opsnuiven, dat was het zo'n beetje. En verder: wachten en wachten, met lege handen staan. Van achter de lijn toekijken hoe mijn smoel verbouwd werd en mijn grappen verbleekten.

Kut.

Ik lag daar en mijn ogen vielen niet meer dicht, omdat ik dacht: die kanker van mij heeft hun leven gedemonteerd en daarna scheef weer in elkaar geschroefd.

Ik heb ze een voor een besmet.

Dat Bobby-syndroom bestaat.

En ik lag daar een uur later nog met steeds dezelfde gedachten, en ik herinnerde me al die mensen die tegen me hadden gezegd dat ze mijn ziekte van me over wilden nemen. Mijn opa's en oma's bijvoorbeeld, stuk voor stuk hadden ze beweerd: 'Niet jij, zo'n jonkie, geef het maar aan ons.'

Dat wilde ik helemaal niet van ze horen.

Geloof me, als het mogelijk was, dan wist ik het wel. Dan stuurde ik die hele kinderafdeling naar het bejaardentehuis – doneren, jongens! Maar ja, ten eerste: ze zouden er met hun bejaardenconditie een stuk eerder aan bezwijken dan ik, en ten tweede: zo werkt het niet. De een wordt honderd, de ander tien.

Ik lag wakker, het was in het donkerste donker van de nacht, en ik begon opeens, precies zoals mijn grijze oma's en opa's dat deden, onmogelijke plannetjes te maken om het Bobby-syndroom van ze over te nemen.

Van mijn ouders, broers en vrienden.

Kanker is een oneerlijke bitch, maar het was wel *mijn* oneerlijke bitch. Niet die van hen.

Uiteindelijk dacht ik meestal toch weer aan taart. Ik had andere leuke dingen geprobeerd, bikini's, achtbanen, de Champions League – maar die werkten niet. Taart wel. Ik beeldde me in dat er in de schemer eentje voor me stond, op een tafeltje, met dikke lagen gele cake, met puddingvulling en vette slagroomranden. En dan ineens: honderd brandende kaarsjes.

—

'Ga je mee?' zeiden de jongens, het was de zaterdagavond na de tweede chemokuur – nog twaalfzestiende te gaan.

Ze hadden het over de jaarlijkse feestweek in het stadje verderop, en ik voelde me redelijk oké, dus ik zei: 'Ik kan het proberen.'

Dat zei ik, maar ik dacht: we gaan knallen.

'We doen rustig aan,' zei Kelvin, 'gewoon wat over de kermis lopen, en dan ergens een biertje drinken.'

Dat biertje gold niet voor mij, want ik mocht geen alcohol, maar het leek me leuk om weer eens niet-ziek te zijn.

'Top,' zei ik.

Mijn moeder vond het geen goed idee. Maar ze is niet het type moeder dat dingen echt verbiedt. 'Je bent bezorgd,' zei ik tegen haar, vlak voordat de jongens me op kwamen halen, 'en dat waardeer ik. Maar zeg nou zelf, ik had dit keer veel minder last van de bijwerkingen, toch?'

Ze knikte. Of nee, ze knikte niet, ze zei: 'Hm.'

Dus ik ging.

Raar wel.

We struinden langs de Blower en de Heartbreaker en de Cakewalk en de Calypso, en we kwamen niemand van school of Facebook tegen.

Ik wist niet precies hoe ik me moest voelen.

We gingen nergens in, we ouwehoerden wat over iemand uit het voetbalteam die in een politiepijpje had moeten blazen en daarna opgepakt was.

Ik was uit, ik was blij, ik was onoverwinnelijk, ik was

stoer, maar slap was ik ook, en ik wist niet goed wat ik daar deed.

Tegen elven zei Bart: 'Kunnen we even langs mijn huis? Ik ben iets vergeten.' Dus we liepen de drukte uit en de stilte in, en toen – toen stapte ik van de stoep af.

Zo'n kleine beweging was het. Ik stapte van de stoep naar de straat, één treetje lager dus, maar opeens wist ik het: dit kán helemaal niet. Twee dagen na de chemo, ik ben een idioot.

Ik zei, dwars door Ward heen, die midden in een verhaal was: 'Ik ben moe. Het is genoeg.'

De jongens vielen stil, keken me aan en zeiden: 'O. Oké.'

'Ik ga naar huis,' zei ik, 'nu.'

Ik fietste naar huis. Het was intussen flink donker geworden. Ik dacht alleen maar aan mijn bed en aan liggen.

Toen ik thuiskwam zat mijn moeder op de bank. Ze keek naar me en zette het geluid van de tv op stil.

Ik ging naast haar zitten.

Ze zei niks, ze wachtte af.

'Je had gelijk,' zei ik. 'Dit was een rare zet.'

'O,' zei ze.

'Ik wou het zo graag.'

'Dat snap ik toch,' zei ze.

'Grenzen opzoeken,' zei ik.

'Ja,' zei ze. 'Leermomentje.'

—

De dag erna was mijn lichaam weer helemaal aan flarden. Ik wist niet of het bij de chemo hoorde, of dat het de terugslag was van het uitgaan, maar ik had harde hoofdpijn, ik was misselijk, ik lag kapot op de bank en keek naar Bear Grylls die rauwe nieren liep te eten, en ik baalde zo dat ik daar lag.

Af en toe kwamen mijn ouders en mijn oma, die op bezoek was, van buiten, vanuit de tuin – het was zulk mooi weer – kijken hoe het met me ging en dan zag ik dat ze deden alsof ze niet van me schrokken.

Niet alleen mijn lichaam was gesloopt. Plotseling zag ik – heel even, het duurde maar een kwartiertje – wat er met me aan het gebeuren was. Dat soort momenten had ik niet vaak. Ik duwde mijn hoofd in een kussen en begon te snikken, met van die schokken. Ik rolde heen en weer op de bank, alsof ik tijdelijk gek aan het worden was, ik kon het niet tegenhouden.

Mijn moeder zat opeens bij me.

Ze legde haar hand op mijn rug, maar ik schudde hem af. Ik had me zo voorgenomen het Bobby-syndroom van ze weg te nemen, en nu lag ik hier te janken.

'Wil je even alleen zijn?' vroeg ze.

Ik knikte.

Toen ik wat bijgekomen was, hoorde ik mijn oma, die naar huis moest en me een kus kwam brengen, boven mijn hoofd. Ik kwam half overeind. 'Sterkte, Max,' zei ze, en toen sprak ze, dit keer op extra lieve toon, haar standaardzinnetje uit: 'Als ik het van je over kon nemen zou ik het doen.'

Daardoor schoot ik toch weer in de lach. Een beetje waterig zei ik: 'Daar heb ik geen vertrouwen in, oma. Dat zou u niet overleven.'

Oma glimlachte. Ze boog zich naar mijn oor en fluisterde: 'Maar jij wel.'

'Ja,' herhaalde ik zachtjes en een beetje verbaasd, 'ik wel.'

—

School begon weer.

Ik sloeg de eerste lessen over, maar op woensdagmiddag stapte ik de klas in. 'Hé, Max,' zeiden mijn klasgenoten – niet overdreven hartelijk, niet overdreven koel, en omdat de duo's al gevormd waren zat ik alleen.

Dat vond ik geen probleem. Ook voor de zomervakantie trok ik niet al te veel met ze op, en bovendien: ik zou er toch niet alle dagen kunnen zijn. De meeste van deze meisjes en jongens waren mijn vrienden niet, maar sommige van hen hadden wel op mijn Facebook-updates gereageerd, en ik vond het best oké om ze weer te zien.

De leraren waren ingelicht en mijn mentor was zelfs, samen met mijn scheikundedocent, naar het ziekenhuis geweest om een lezing voor leraren van kinderen met kanker bij te wonen. Ze wilden vrijwel alles voor me doen.

En ik wilde ook vrijwel alles voor hen doen.

Ik kreeg concentratieproblemen, en dus moest ik opnieuw leren leren, maar mijn mentor maakte een plan voor me, en dat namen we elke week door.

Het ging. Mijn cijfers piekten, ik was gemotiveerder dan een samoerai. Mijn leven buiten mijn huis en mijn vrienden bestond uit school, voetbal en werk, en het zou mooi zijn als ik tenminste een van die drie overeind kon houden.

Trouwens, als ik even geen zin had, hoorde ik verdorie elke keer weer dat zinnetje van mijn vader, dat zinnetje dat ik hem midden in de nacht had horen zeggen en dat ik toen niet begrepen had: 'Het ergst vind ik het om naar zijn studieboeken te kijken.'

En dan dacht ik: wacht maar, ouwe.

—

Van Stichting Gaandeweg, een stichting die vakanties regelt voor jonge kankerpatiënten en hun familie, kregen we een lang weekend naar een huisje in zo'n vakantiepark. Geweldig.

Maar het zou wel prettig zijn als we er met goed nieuws naartoe konden. Want er waren foto's en scans gemaakt en daar kregen we vandaag de uitslag van.

Ik was kalm opgestaan en zat kalm in de auto. Waarom dat zo was, weet ik niet. Als ik iets geleerd heb in die maanden, dan is het dat je gevoelens een eigen stuur hebben, en dat je ze zo goed mogelijk kunt proberen te volgen, of te bestrijden, misschien – maar begrijpen? Niks hoor. Hoogstens achteraf.

Goed, ik liep dus vol vertrouwen naar de afdelingsbalie.

'De oncoloog laat nog even op zich wachten,' zeiden ze daar, maar we mochten alvast in de spreekkamer gaan zitten.

Mijn vader nam de stoel links, bij het raam. Ik die in het midden. Mijn moeder de rechter.

Toen kwam Jan-Jaap of Jaap-Jan binnen, en hij glimlachte.

'Max,' zei hij, nog voor hij op zijn draaistoel plofte, 'we liggen op koers.'

'Wooh,' zei ik, 'echt?'

Mijn moeder legde haar hand op mijn been en kneep.

Jan-Jaap of Jaap-Jan glimlachte nog breder. Hij zei: 'Wil je de longfoto's zien?'

'Ja,' zei ik, of misschien zei ik het niet, omdat ik een klein beetje sprakeloos was. In dat geval knikte ik.

'Even zoeken,' zei Jan-Jaap of Jaap-Jan.

Het duurde een tijdje voor hij zijn eigen computerprogramma begreep, maar toen draaide hij het scherm naar ons toe en zei: 'Dit is de foto van een paar maanden geleden.'

Het hele scherm was wit van de uitzaaiingen. Het leek wel of ik een tweede hart had, maar dan aan de verkeerde kant – een hart van witte bolletjes en witte sliertjes. Ze hadden het duidelijk naar hun zin, die groeisels, en ze waren met veel.

'Nu die van vorige week,' zei Jan-Jaap of Jaap-Jan, en

wooh, dubbelwooh, daar was driekwart van de long alweer zwart, precies zoals het hoorde: de chemofeeën hadden hem schoongeveegd, ze hadden de bezem door het tumorfeestje gehaald, ze hadden de bolletjes doen vertrekken en de sliertjes laten opzouten.

'Dit resultaat, en dan zo snel,' zei Jan-Jaap of Jaap-Jan, 'dat is heel hoopgevend. En ook beter dan we hadden verwacht.'

Het was alsof mijn schouders zich ontspanden, alsof ik dieper ademhaalde. Ik weet niet of je het aan mijn gezicht kon zien, maar ik veranderde in een soort astronaut. Ik reisde gewichtloos door de ruimte, ook al zat ik gewoon op mijn stoel. En mijn ouders waren al net zo spacy als ik, ik voelde het gewoon. We begonnen niet te juichen of te huilen, nee, we smileden en we waren tevreden.

Mijn vader zei zachtjes: 'Dit is perfect.'

Ik vroeg: 'Is mijn genezing nu zeker?'

'Nou, nee,' zei Jan-Jaap of Jaap-Jan, 'dan zouden we op de zaken vooruitlopen. Maar je hebt je overlevingskansen wel behoorlijk vergroot.'

'Dit is perfect,' zei mijn vader nog een keer.

'Dat is het bijna,' lachte Jan-Jaap of Jaap-Jan, 'bijna perfect.'

'Nu kunnen we weg,' zei mijn vader die dag wel drie of vier of vijf keer. 'Nu kunnen we op vakantie.' Hij was er blijkbaar echt aan toe. We reden zwevend naar huis, we belden de oma's en de opa's, ik stuurde berichtjes naar

Kelvin en Ward en Bart, en ik typte op Facebook: *Controle gehad. Meer dan de helft van de shit is weg. Nu eerst ff vakantie.*

—

Tja, dat weekend, wat zal ik er eens over zeggen.

Het was prachtig geregeld, dat zeker. En Sam en Lennart waren er al dagen van aan het stuiteren. Opa en oma gingen mee, ook leuk, ik herhaal: het was prachtig geregeld.

We hebben lekker gegeten.

We hebben lekker op een bank naar de televisie gekeken.

We hebben lekker gekaart en geklept en geklierd.

En ik voelde me niet eens zo slecht, dus nogmaals, het was tof en mooi en gezellig – en toch herinner ik me vooral dit: mijn chagrijn.

Dat is niet mooi van mij, ik weet het.

Maar we gingen uren en uren voetballen met wat Duitse gastjes, ik en mijn broertjes tegen Das Süppchen, en ja, ik ging tot het uiterste, want ik had geen zin om ziek en dus voorzichtig te zijn, en toch wonnen die jokers de helft van de tijd. Ik had best lollig lopen ballen, maar dit was natuurlijk niet de bedoeling. Ik feliciteerde ze. Ja hoor, dat deed ik – het was alleen compleet fake. Ik dacht niet: *ik ben verzwakt, ik heb een excuus*. Nee, ik dacht: *kom over een jaartje maar terug, dan schoffel ik jullie onder de zoden.*

Ik ben zo'n slechte verliezer.

Op zondag kwamen er hordes ooms en bendes tantes langs, heel lollig allemaal, maar op die dag verloor Liverpool compleet onnodig bij Everton (in de Merseyside derby, zo heet die wedstrijd, te vergelijken met Vitesse-NEC bij ons, streekrivalen, en ja hoor: 2-0).

Dus ook toen: boos.

Echt, ik ben zo'n slechte etc.

—

Iedereen was opgeveerd door het eerste goede nieuws. Ikzelf, mijn ouders, mijn oma's, opa's, mentor, leraren, kapper, bakker, nou ja, iedereen. Ik ging weer een kuur in en nu wist ik tenminste met welk doel ik mezelf op chemo-donderdag knock-out liet slaan.

Op de vrijdag erna (nog elfzestiende over) dacht ik de hele dag: voel ik me goed?

Ja, dacht ik dan, ik voel me goed.

Ik had maar een dun laagje hoofdpijn, ik zat best fijn op de bank, en ik kon zelfs douchen, het was een wonder.

Op zaterdag speelde Weetveld Vooruit bij Gobelingen, en ik ging voor het eerst weer eens mee. Vroeg op, met mijn vader in de auto ernaartoe, bankzitten, fris gras, ik kreeg zo'n echt voetbalgevoel. Kelvin zat naast me en deelde kauwgumpjes uit. Elke keer als ik mijn kaken op en neer bewoog voelde ik een speldenprikje ergens bij mijn kiezen, maar ik lette er niet op, want ik zat lekker te schreeuwen en te schelden – we verloren met 9-1, drama.

Na afloop: friet en frikadellen. Weer die prikken, naaldenprikken nu. Maar die frikadellen waren ook veel te heet.

En toen, terug in de auto met m'n pa, met Kelvin en met Bart, nam ik een slok AA. Ik zat met mijn voeten omhoog tegen het raam, om te relaxen, maar ik drukte die hele ruit er bijna uit, zo'n pijn schoot er opeens door mijn kaak. De anderen merkten het niet, en ook die avond, bij het eten, toen het steken geworden waren, alsof ik een parttime-opleiding degenslikken deed en ik er, laten we zeggen, nog niet zo goed in was, zei ik niks.

Ik ging vroeg naar bed. Mijn moeder kwam naar boven. Ik vertelde haar wat ik voelde. Ze fronste en zei: 'Morgen bellen we het ziekenhuis, oké? Red je het vannacht?'

'Ja, ja,' zei ik.

Maar mijn god, ik redde het helemaal niet.

De steken breidden zich uit. Het was alsof mijn tandvlees van voor naar achter bewerkt werd met punaises. Ik dronk liters water om de boel te blussen, maar niets hielp. Ik denk niet dat ik die nacht geslapen heb, en 's ochtends was het allemaal nog een level erger. Soms heb je een kloofje op je lip, en dan vertelt iemand je een mop die ermee door kan, dus je lacht en *kkkrrrraggg*, dat kloofje scheurt open. Dat voelde ik, maar dan overal in mijn mond.

Mijn moeder belde naar de kinderafdeling. Onze vaste contactpersoon was er niet, maar een of andere langslopende dokter zei dat ik paracetamol moest nemen, en de volgende ochtend naar de huisarts moest gaan.

Die langslopende dokter was een imbeciel.

Ik had natuurlijk al paracetamol genomen, EN DAT HIELP NIET. We probeerden een dubbele dosis. Dat hielp een beetje, maar nee, ook niet. Ik wilde niemand zien, Kelvin en Bart en Ward zouden langskomen, mijn moeder belde ze af.

Als ik praatte deed het pijn. Als ik niet praatte ook.

Die nacht kon ik niet in mijn bed blijven.

Ik sloop naar beneden, want ik wilde niemand wakker maken, en ging weer op de bank in de woonkamer liggen. Ik deed de tv niet aan, ik staarde gewoon een beetje naar buiten. Naar ons woonwijkje, naar de ramen van de overburen.

Daar sliep iedereen.

De maan had elk geluid uit de wereld weggenomen en er mager licht voor in de plaats gelegd.

Ik hield me groot. De volgende dag zou de huisarts komen. Ik vertrouwde de huisarts.

Hij had pas tegen de middag tijd. Dat hield ik nog vol – nog net. Want daar was hij. Hij kwam binnen, hij ging zitten. Hij was kalm en wijs. Zijn blik alleen al maakte me rustig, en zijn stem, die ook.

Hij keek in mijn mond.

Hij keek nog wat langer in mijn mond.

En toen zei hij: 'Wat gek. Ik zie niks.'

Op dat moment raakte ik in paniek.

Hij stelde voor dat ik een bepaald zalfje in mijn mond zou smeren, dat kon de pijn verlichten. Mijn moeder ging het meteen halen. 'Fijn,' zei ze, toen ze de huisarts uitliet, 'dat gaat helpen.' Ik weet nog dat ik lag te wachten tot ze terug was van de apotheek, en dat ik wist dat ze geloofde in een wondermiddel, maar ik had de twijfel in de stem van de dokter gehoord.

Het was een soort gel, die ik met mijn vingers in moest brengen. Dat was een tyfuskarwei, mijn mond voelde aan als een door de duivel opengeschoffelde zweer. En werkte het zalfje? Nee, dat werkte niet. Nog een keer proberen – mijn kaak knetterde van de pijn en ik kon niet eens schreeuwen, want dan verergerde het met factor 666.

Wat nu?

Kapotgaan.

Het was maandagmiddag, en ik zat tegenover mijn moeder op de bank, en ik kon alleen nog maar huilen.

(Ook wat hieronder staat wil ik nooit meer teruglezen, ik zeg het je maar even, voor ik verderga. Dus je moet er nooit over beginnen, want het was het dieptepunt van de hele chemotijd.)

Ik zat daar en ik kon mijn moeder niet meer helpen. Ik wist dat ik haar verdriet deed, maar ik wist niet meer hoe het verder moest.

Ik heb een keer per ongeluk haar dagboek ingezien. Ik wist niet dat het haar dagboek was, ik wist helemaal niet dat ze er eentje bijhield. Het lag open. En ik kon er dus niks aan doen dat ik die zinnetjes las. Ik las: *Ik zie hem tegenover me op bed liggen. Het is een hartverscheurend idee dat ik hem ooit zou moeten verliezen.*

Ik stapte letterlijk achteruit. Dit was niet voor mij bedoeld. Maar ik zag het voor me – ik zag hoe ze me aankeek. Hoe ik verrot naast haar op bed lag en hoe ze de zinnen die ik net ongewild gelezen had voor zich uit fluisterde. Ik stapte weer naar voren en sloeg het dagboek dicht.

Dit was tegen de regels. Wij zijn niet het soort gezin waarin dit soort dingen hardop worden gezegd, en nu had ik het haar dus toch horen zeggen.

Feitelijk had mijn moeder de regels nooit overtreden. Ze had haar wanhoop altijd netjes voor zichzelf gehouden, ze was altijd dapper en optimistisch gebleven.

Maar ik niet. Ik overtrad de regels nu zelf.

De goede uitslag telde niet, mijn opgeruimde long telde niet, ik was niet kalm en niet zwevend en ik was nergens, *nergens* gerust op.

Hoe goed het ook leek te gaan: zo kon ik niet verder.

Ik huilde en mijn mond klauwde me open en mijn tandvlees brulde en bonsde en ik brak en ik zei: 'Als dit de pijn is die ik voortaan ga hebben dan doe ik het niet meer.'

Dat was mijn dagboekzin.

Die mijn moeder niet had moeten horen.

Ik heb haar toen, op dat moment, door het op te geven, een versterkte versie van het Bobby-syndroom aangedaan, dat wist ik toen ik het deed en dat weet ik nog altijd. Maar ook nu bleef mijn moeder sterk.

Ze probeerde me zo goed als ze kon te troosten.

Zij hield zich nog altijd aan de regels.

—

Die middag ontdekten we – god zij gedankt – de vla. Als ik mezelf heel rustig hield kon ik voorzichtig slurpen. De pijn bleef hetzelfde, maar ik kon in elk geval weer wat eten. Dat bestreed de wanhoop een beetje.

De avond kwam, de nacht kwam, de koude vla verdoofde het zieden in mijn mond soms, kort. Ik sliep eerst even bij mijn moeder, en daarna sloop ik, net als de nacht ervoor, naar beneden om te kijken naar alles wat er buiten verlaten was.

Op dinsdagochtend belden we het ziekenhuis weer en dit keer kregen we mijn eigen oncoloog aan de lijn. Toen Jan-Jaap of Jaap-Jan hoorde wat er aan de hand was, begon hij bijna te vloeken. Hij had een pil die zeker zou gaan helpen, maar hij schold op de telefoniste die ons de dag ervoor verkeerd had doorverbonden: met de kinderafdeling en niet met de afdeling oncologie. Hij putte zich uit in excuses, maar die interesseerden me niet. Die pil, dacht ik, geef me die pil.

Een uur later legde mijn moeder een bruine capsule op mijn hand. Dat ding was gigantisch. Ik staarde ernaar, en kon me niet kon voorstellen dat ik hem ooit naar binnen zou krijgen.

Ik keek naar mijn moeder: 'Hoe moet dat?'

'Eh ja,' zei ze, 'hier staat: oraal.'

'Dat gaat niet,' zei ik, 'met mijn pijn.'

Ik zag al voor me hoe dat ding in mijn keel bleef steken en dat ik dan stikte en nu en hier, op mijn zestiende, sowieso de sjaak was – maar het moest, het moest, dus ik worstelde met water en paniek en vla en ellende, en dat ding tijgerde zich een weg door mijn slokdarm heen en toen voltrok het wonder zich: na een uur of wat begon de pijn weg te zakken.

Ik kon een beetje pap naar binnen lepelen.

Lauwe thee. Nog meer vla.

En ik kon slapen.

De volgende ochtend werd ik hemels wakker. De pijn was weg. Ik stuiterde naar beneden en wilde eten, eten, eten, en mijn moeder reikte me iets goddelijks aan: een beschuitje met kaas.

Nee, ze reikte me een heel dancefeest aan, in de vorm van een beschuitje met kaas. Die kaas, die op mijn tong smolt. De beschuit, die langzaam uiteenviel en bijna niet meer korrelig, bijna al helemaal fluwelig, langs mijn tanden gleed. Ik nam er nog een, en nog een. Mijn papillen deden hun ogen dicht, leunden achterover en kreunden zachtjes van genot. Beschuitjes met kaas, ik eet ze eigenlijk nooit, maar die dag waren ze kaviaar, champagne, kroketten, truffels en kapsalon ineen.

—

Het was de week van de jaarlijkse dorpsdagen. Dan kwam iedereen naar de tent op het plein, dan werd er elke avond gedronken en geroddeld, geruzied en gezoend. Mijn ouders hielden het meestal niet langer vol dan tot een uur of tien, maar ik was het jaar ervoor aardig los gegaan.

En nu?

Nu was ik terug van een excursie naar de hel, en dat wilde ik vieren.

'Morgen weer chemo,' zei mijn moeder. 'En weet je nog hoe je thuiskwam, laatst, na de kermis?'

'Ik weet het,' zei ik, 'maar dit is anders.'

'Je moet zelf beslissen,' zei ze.

Ik dacht even na. 'Oké,' zei ik, 'dan blijf ik thuis. Op voorwaarde dat jullie wel allebei gaan.'

'Hè nee,' zei mijn moeder.

'Schat...' zei mijn vader. Hij keek mijn moeder smekend aan.

'Ik blijf thuis op voorwaarde dat jullie wel gaan,' zei ik nog een keer.

Mijn moeder fronste. Naar mij. Naar mijn vader.

'Schat...' zei mijn vader weer.

Mijn moeder zuchtte en haalde haar schouders op.

Ze gingen, maar ze waren om half negen al terug.

'Hoe was het?' vroeg ik. Ik zat nog steeds te hunkeren op de bank.

'Gewoon,' zeiden ze.

'Is de dj al begonnen?'

'Die gaat nu beginnen.'

'O.'

'Wat is er, Max?'

'Is het dezelfde dj als die van vorig jaar? Want die was best goed.'

'Weet ik veel,' zei mijn vader.

'Max?' vroeg mijn moeder.

'Wat?'

'Ga dan maar even.'

Ik dronk niks, natuurlijk niet. Ik geef toe, de tent stond vol met aangeschoten dorpsgenoten, dus de verleiding was groot, maar ik dacht: volgend jaar maak ik het goed. Voor nu had ik een ander plan. Ik wurmde me langs de mensen die me aanklampten, als ze me groetten lachte ik vriendelijk terug, maar ik bleef niet staan om met ze te praten. Dat kon ook nauwelijks, de dj was al met zijn set begonnen. Ik had thuis tv zitten kijken en er was maar één ding waar ik naar verlangde: een uur lang alles vergeten. Kelvin, Ward en Bart, die in het buurdorp wonen, waren er niet, en vanavond kwam me dat uit. Ik wilde helemaal alleen op de dansvloer staan, en helemaal alleen gelukkig zijn.

Dus dat deed ik.

Ik stond op de dansvloer en was gelukkig.

Ik schoof het hek achter de dagen van de mondpijn dicht, ik trok een muurtje op vóór de zeszestiende chemo van morgen, en daartussenin stelde ik me een bel voor, een bel van muziek en weggegumde gedachten, en ik stapte in die bel en begon mijn feestje te vieren.

Ik weet zeker dat het dorp dacht dat ik dronken was.

Of dat ik een kleurig pilletje had geslikt. Er draaiden de hele tijd mensen naar me toe. Ze lachten en drukten bier in mijn handen. Dat drukte ik dan weer in de handen van iemand anders. Ik keek vanuit mijn bel naar al die gezichten. *Jij hoort hier toch niet?* Ik zag het ze denken. *Jij hoort toch in een ziekenhuisbed?* Er waren er die in mijn oor kwamen schreeuwen. 'Wat doe jij hier?' vroegen ze, en dan antwoordde ik: 'Dansen!' De overbuurvrouw vroeg me bezorgd hoe dit kon, ik, alleen, zo vrolijk. Ik zei: 'O, gewoon' en dronken zonder alcohol, high zonder smartie, danste ik van haar weg.

Het was een trip.

Van een uur.

Ik ging braaf op tijd naar huis, moe, bezweet, en toen ik in mijn bed lag was ik verrekt gelukkig dat ik gelukkig was geweest.

—

Op donderdag was de zeszestiende chemo, en deze keer kwamen de jongens op vrijdag al langs. Film, stank, grappen – je snapt het. Ik vertelde ze niet over de hel in mijn mond, of over de wel drie keer herhaalde verontschuldigingen die Jan-Jaap of Jaap-Jan ons namens het ziekenhuis aan was komen bieden. Ze vroegen er ook niet naar.

Ze hadden het over Weetveld Vooruit. 'Je moet nog een keer mee, Bob,' zeiden ze. 'Het was wel 9-1 vorige week, maar we hebben in elk geval gescoord. Als jij aan de kant zit doen we nou eenmaal beter ons best. Dat slaat natuurlijk nergens op, want zo knap ben je nou ook weer niet. Maar wat dacht je van morgen?'

'Als het kan,' zei ik.

'Natuurlijk kan het,' zeiden ze.

Ik had er eigenlijk niet zo'n zin in. Na het voetballen op het veldje, waar ik een paar weken geleden halfdood van terug was gekomen, had ik een streep door het sporten gezet. Als ik niet kon presteren hoefde het voor mij niet meer. En die wedstrijd van vorige week, toen de naaldenprikken in mijn mond begonnen, probeerde ik uit mijn geheugen te wissen. Maar 's avonds laat stuurde Kelvin me een berichtje met: *Ben je er morgen echt wel?*

Ze speelden thuis, en mijn vader bracht me. Hij kon me naar huis rijden als het niet ging. Maar of het wel of niet ging vergat ik, want het spel was verdorie best aanvaardbaar. Ward scoorde de winnende goal en ze stapten met 3-2 van het veld.

Ze troonden me mee naar de kleedkamer.

'Hé,' zei ik, 'er staat hier een krat bier.'

'Wil je?' vroeg iemand.

'Nee,' zei ik, 'maar waar hebben jullie dat zo snel vandaan gehaald?'

En toen begon iedereen door elkaar heen te schreeuwen.

Dat bier was namelijk niet voor de overwinning – achteraf was het de enige van het hele seizoen, ze eindigden vet onderaan – nee, het was vanwege mij.

'Ga zitten, Bobby!' riepen ze.

Ik ging zitten, op mijn vaste plek, en keek naar mijn vader die in de deuropening stond. Hij grijnsde.

De elftalleider nam het woord. 'Bob,' zei hij, 'we hebben wat dingetjes voor je gekocht. Om de moed erin te houden tijdens je eh... behandelingen.'

En toen kwamen de cadeaus. Het waren er zeven. Een bal, waarop iedereen getekend had met de bijnaam die ik voor ze verzonnen had. Een witte teddybeer, zo'n enorme, van een meter hoog. Een kaart met lipafdrukken van alle jongens en x'jes en *We hauden zo van jau*. Een motorcrossgame voor de PlayStation, een schrijfboekje met het logo van Liverpool erop, opnieuw een porno-dvd (die had Bart gekocht, zeker weten) en ten slotte nog een kaart, eentje met nota bene Winnie de fokking Poeh erop – die een hart in zijn klauwen hield. Deze kaart was voor de serieuze wensen. *We missen je, Bob. Superbeterschap, Bobby. Ik bewonder je, Bob.*

Zelfs de coach van de tegenstander had iets geschreven. *Ik hoop dat je snel weer op de voetbalvelden te zien bent.* En hij kende me niet eens!

'Stelletje gekken,' zei ik, 'stelletje mafkezen.'

Ik maakte een rondje om ze een voor een te bedanken.

'Wist jij hiervan?' vroeg ik aan mijn vader.

'Mwah,' zei hij.

'Eten jullie bij ons?' vroeg ik aan Bart en Ward en Kelvin.

'Kan dat?' vroegen ze.

'Yep,' zei ik, want ik wilde dat het kon.

'Bob,' zei Bart, toen we de spullen in stonden te laden.

'Ja?'

'Die dvd eh...' zei hij. 'Die is echt goed. Je moet eens kijken wat ze daar doen.'

—

Ik werd niet kaal.

Ik zei tegen Jan-Jaap of Jaap-Jan: 'Ik word niet kaal.'

'Nee,' zei hij, 'dat is uitzonderlijk.'

'Ha,' zei ik, 'je had het dus mis.'

'Ja,' zei Jan-Jaap of Jaap-Jan trots, 'ik had het mis.'

Maar mooier werd ik er niet op. Ik moest Prednisonpillen slikken. Die voorkomen misselijkheid, en ze laten andere medicijnen beter werken. Maar ze blazen je ook van binnenuit op. Je hoofd wordt er een pompoen van.

Op de een of andere manier had ik daar niet eens zo veel moeite mee. Ik keek gewoon niet in de spiegel – dat had ik sinds het ontdekken van de tumor, toen, in de gang, al niet meer gedaan. Bovendien: ik ging maar weinig uit. Ik had genoeg aan Kelvin, Bart en Ward en die wause vriendschap van ons, die aan het begin van de zomer, tijdens het voetbalweekend, ontstaan was en sindsdien een solide vorm had aangenomen. De jongens brachten de wereld voor me mee: ze waren om en om bezig met meisjes, en soms allemaal tegelijkertijd.

Dan hingen we op mijn kamer en hoorde ik de verhalen aan. Soms leek het één grote probleemrubriek, en dan zei ik: 'Mannen, wie wil er een van mijn pillen? Zijn jullie er meteen vanaf. Lelijk zijn heeft alleen maar voordelen.'

'Bob,' zeiden ze, 'zeik niet zo. Je bent net zo lelijk als je altijd al was, daar is niks aan veranderd. En of je nou een chick tegenkomt of niet, dat heb jij niet te bepalen. Dat gaat vanzelf.'

'Dat zou dan flink klote zijn,' zei ik.

Ik moest er echt niet aan denken. Het was niet alleen zo dat ik een meisje niets te bieden had, maar ik had er ook de tijd niet voor, de rust, de energie.

Dus de vrouwen moesten nog maar even hun adem inhouden. Ook al was ik niet kaal. Ook al had ik opeens geen last meer van roos. Echt waar – vóór de kuren was ik een sneeuwmannetje. Sinds de kuren: wonderbaarlijk schoon. *Head and shoulders*? Ha! Chemo werkt beter.

—

De zeven- tot en met de twaalfzestiende chemo verstreken, en ik ga je niet vermoeien met elke keer dat ik verrot was en elke keer dat ik wakker lag, want je kent het muziekje nu wel. Dat het mijn baan was blabla en dat ik braaf inklokte en uitklokte blabla, dat ik doorleefde, mijn broertjes pestte, dat ik chemowinden liet, dat ik echt niet naar de supermarkt kon om te werken (tijdelijk – hoewel, aan het eind van het jaar kwam de bedrijfsleider met hangend gezicht vertellen dat hij instructies had gekregen om mijn baan niet te verlengen. Ik kon weer aan de slag als ik beter was, zei hij. Het was een hard bericht, maar ik begreep dat hij niet anders kon. En ik eet dat je dat zo niet zegt: een hangend gezicht. Maar het hing wel.) blabla, ja – dus we slaan de details even over, oké?

Alleen nog een paar hoogtepunten.

a) De Faaldag Van Mijn Vader (amusementscijfer 7, ellendecijfer 8)

Ik had me dus voorgenomen om niet meer in het ziekenhuis te slapen. Nooit meer. Maar dan moet je lichaam wel meewerken.

Het was op een vrijdag na een van de chemo's, ik werd wakker en voelde me koortsig. Jan-Jaap of Jaap-Jan had gezegd: 'Als dat gebeurt: meteen in de auto en hiernaartoe komen.' Dus ik dacht: ik doe net of er niks aan de hand is.

Ik ging naar beneden en plofte op de bank.

'Wat is er?' zei mijn vader.

Ik zei: 'Even een dagje niet naar school. Moe. Rust.'

Mijn moeder moest naar haar werk en dus bleef mijn vader thuis.

In de loop van de ochtend voelde ik me steeds slechter, en op een gegeven moment zei ik toch maar: 'Pa, je moet temperaturen.'

'Temperaturen, temperaturen,' zei hij. Hij zocht de thermometer op, zette hem in mijn oor en las hem af. '37,' zei hij.

Ik dacht: dat is gunstig. Dan hoef ik niet naar het ziekenhuis.

Nog een uur later kwam de hoofdpijn opzetten en

werd ik misselijk. Ik dacht: hoe kan ik nou geen koorts hebben?

Mijn vader haalde koude washandjes voor me en keek bezorgd.

's Middags: weer temperaturen. En weer 37 graden. Ik begreep er niks meer van. 'We wachten maar even tot morgen,' zei mijn vader, en: washandje na washandje.

Aan het eind van de dag kwam mijn moeder thuis, en het eerste wat ze zei was: 'Zo, jij ziet er echt niet uit!'

Opeens had ik er genoeg van.

Ik ging over de rooie en riep: 'Ik zeg toch ook niet elke dag tegen jou dat je er niet uitziet!'

'Ja, ja,' zei mijn moeder, smoesde wat met mijn vader, graaide de thermometer van de tafel en ramde hem in mijn oor. 'Zie je,' zei ze, '39.'

Toen werd ik helemaal pissig. 'Je hield hem tegen mijn oorlel aan!' schreeuwde ik tegen mijn vader. 'Wilde je mijn oorlel soms temperaturen? Mietje!'

Mijn moeder zei: 'Ik ga het ziekenhuis bellen.'

Ik keek mijn vader nog eens vernietigend aan en riep: 'Benadruk wel dat ik weinig zin heb om op pad te gaan.'

Uiteindelijk kwam de huisarts, die constateerde dat ik een griepje had. Gewoon een griepje. Ik mocht thuisblijven en knapte de volgende dag alweer op.

b) Quint En De Cliniclowns (amusementscijfer 9, ellendecijfer 0)

Op een van de chemodagen stonden er opeens twee clowns tussen de bedden. Cliniclowns. Er lagen die dag alleen maar kleine kinderen om me heen. Een van hen was Quint, die zo van eten hield. We lagen er allemaal behoorlijk leeggezogen bij, en toch gingen de clowns dapper aan de slag. Iets met een gitaar. Iets met een oranje poppetje. Echt, ze deden enorm hun best. Ze waren alleen niet grappig.

Maar: ze waren zo niet-grappig dat het weer leuk begon te worden.

Niemand reageerde.

Quint speelde op zijn PlayStation en bij de andere twee kinderen zakten langzaam de ogen dicht.

En toen begon ik te lachen. Om de hele situatie, niet om de clowns. Mijn vader moest nu ook lachen. De doezelende kinderen deden hun ogen weer open en staarden ons verbaasd aan.

En toen keek ook kleine Quint op van zijn PS. Hij vroeg aan de clowns: 'Weten jullie wanneer eetzuster Gera komt?'

De cliniclowns wisten niet wanneer eetzuster Gera kwam.

'O,' zei Quint toen, alsof hij Poetin was, 'ga dan maar weg.'

c) De Dag Dat Ik Te Laat Kwam (amusementscijfer 6, ellendecijfer 0)

De school regelde alles voor me, en dat vond ik natuurlijk geweldig – maar spannend was het niet. Op een dag wilde ik weer eens ouderwets de zenuwen krijgen. Ik wilde betrapt worden. Ik wilde een stomkop zijn. Ik wilde onder mijn uitzonderingspositie uitkomen. Dus wat deed ik? Ik kwam te laat. Ik at te langzaam, ik pakte mijn tas te langzaam in, ik fietste te langzaam, alles met voorbedachte rade.

Pas halverwege scheikunde stormde ik naar binnen.

'Wat, eh, Max?' zei de leraar.

Ik wilde natuurlijk geen smoes gebruiken, dus ik zei: 'Ik ben te laat van huis gegaan.'

De leraar aarzelde, en toen zei hij: 'Ga maar gauw zitten dan.'

Missie mislukt.

Aan het eind van het uur nam hij me apart. 'Wat was dat nou?' vroeg hij.

Ik zei: 'Ik ben te laat van huis gegaan.'

'Oké,' zei hij. Er verscheen een klein lachje om zijn mond. 'Morgen om acht uur melden bij de conciërge.'

'Mooi,' zei ik, en ik lachte ook. 'Dank u wel.'

Missie toch gelukt.

d) Mijn Opa's Verjaardag (amusementscijfer: 9, ellendecijfer: 2)

Je hebt wiskunde gehad, toch? Stel je een grafiekje voor met rustige lijnen en weinig uitschieters . Zo zagen mijn gevoelens eruit voordat ik Prednison en andere medicijnen begon te slikken. En erna? Diepe dalen, hoge Alpen en gejodel.

Mijn opa was jarig. Het was vlak na een kuur en toen we binnenkwamen zag ik het al: de keuken stond vol met eten. Meteen schoot mijn humeur door de bovengrens. Echt waar, het was net of ik een douche van geluk over me heen kreeg.

'Gefeliciteerd, opa!' riep ik. 'En super, al dat eten, dat wordt leuk!'

'O, eh, ja, dank je wel jongen,' zei opa.

'Ik meen het,' zei ik, 'ik vind het echt geweldig.'

Daarna sloop ik zodra het kon de kamer uit. Om steeds weer even naar dat eten te kijken. En ik kon het niet helpen: ik moest een stokbrood naar binnen werken. Daar ging hij, een hele meter, droog.

Toen moest het vlees nog komen. Opa had spareribs klaargemaakt. 'Bedankt, opa!' riep ik. 'Ik vind dit zo tof van je!'

'Max?' vroeg mijn moeder. 'Wat heb jij?'

'Niks!' juichte ik. 'Ik ben gelukkig!' En ik nam een tweede portie.

'Oma,' zei ik, 'u ook bedankt. Is die taart voor straks, of mag ik nu een stukje?'

Mijn moeder zei: 'Doe eens normaal.'

De anderen begonnen het lollig te vinden en ik ging voor de afwisseling: taart, een kippenpoot, weer taart, spareribs, nog eens taart – net zo lang tot ik echt niet meer kon.

Een vreetkick, dat was het. Een hele echte.

Toen we vertrokken, glunderde mijn opa: 'Volgens mij heb ik iets goed gedaan.'

'Ja!' riep ik. En ik omhelsde hem.

Toen we thuis waren kon ik mezelf nog net de trap op slepen. Ik ging in mijn moeders bed liggen en voelde me een zak cement. Ik wilde op mijn zij rollen, maar dat lukte niet.

Ik zat vast.

En ik moest los.

Ik rende naar de badkamer en kotste alles er boven de wasbak weer uit.

Dat luchtte op. Ik spoelde mijn mond en strompelde terug naar het bed.

Even later hoorde ik mijn vader roepen: 'Shit, Max, shít! Kon je het niet even opruimen?'

'Pa,' zei ik, 'ik ben ziek.'

'Het stinkt! Ik laat het wel liggen!'

'Jij laat niks liggen!' riep mijn moeder van beneden.

e) Het Stolseltje (amusementscijfer 0, ellendecijfer 9)

Op driekwart van de kuur zou er weer een uitgebreid onderzoek zijn om te kijken of mijn genezing zich voortgezet had. Maar even daarvoor, ik denk na de tienzestiende of elfzestiende chemo, wilde de oncoloog een hartecho laten maken.

'Wat?' zei ik.

'Routine,' zei hij, 'ik wil zeker weten dat alles goed is.'

'Met mijn hart?' vroeg ik. 'Ik heb toch niks aan mijn hart?'

'Nee, dat denk ik ook niet. Maar toch doen we het.'

Het maken van de echo duurde lang. Veel langer dan mijn andere echo's. Ik dacht: dit zal wel zo horen, en eindelijk mocht ik van de onderzoektafel af.

'Blijf even in de wachtkamer,' zeiden de mensen van de echo.

Huh? Ik liep naar mijn vader terug. Die stond al op.

Ik zei: 'Even wachten, pa.'

Hij zei: 'Huh?'

Op dat moment kwam er een vrouw naar ons toe. Ze keek bezorgd en ze zei: 'Max, je moet nu direct even langs je oncoloog. Schrik niet, maar we hebben in je hart een stolseltje ontdekt.'

Ik schrok natuurlijk wel, en vooral omdat ik zag dat mijn vader zo schrok. We stapten door de gangen en hij zei: 'Dat betekent dat er een bloedpropje is. Dat kan serieus zijn. Daar kun je een infarct van krijgen.'

'Wacht. Wat? Een hartinfarct?'

'Ja,' zei mijn vader.

De oncoloog was nog in gesprek, dus terwijl we op het bankje voor zijn kamer zaten, belde ik mijn moeder. Ik zei al: ze is verpleegster, in een revalidatiecentrum, dus toen ik haar vertelde wat er aan de hand was riep ze: 'Hè? Wat nu weer? Hoe groot is het? Waar zit het precies? En wat gaan ze eraan doen?'

'Mam,' zei ik, 'dat weet ik ook allemaal niet. Ik moet ophangen, we bellen je zo weer.'

Als ik zenuwachtig ben begint mijn been te bewegen. Ik heb daar geen controle over. En nu, nu flipte mijn voet met een frequentie van 10.000 Hertz. Ik begon te ijsberen, daar in die gang, en het zweet brak me uit. Dit was opeens veel enger dan de hele kanker. Ik was verdomme al zes maanden aan het afzien en door één zo'n klontertje kon het PAFFFF zijn! Einde. Doei.

Eindelijk ging de deur van Jan-Jaap of Jaap-Jan open. Toen we binnen waren bleek dat het stolsel door mijn port-a-cath veroorzaakt was. Die hadden ze een stukje mijn hart in geparkeerd. Of hij was daar zelf heen getuft, dat weet ik eigenlijk niet. Ik liep er dus al een halfjaar mee rond. Denk ik. Ik heb niet alles gehoord wat hij zei, want ik was opeens zo blij dat ik naar school was blijven fietsen, ook al wilde mijn moeder dat niet. Dat ik in de regen had gevoetbald, dat ik af en toe uit was gegaan. Ik was zo goed en zo kwaad als het ging in conditie gebleven, en dat had me misschien wel geholpen om geen infarct te krijgen, een bankhanger met cholesterolslib in zijn aderen was vast al dood geweest.

'Oké,' zei ik, 'wat gaan we eraan doen?'

Jan-Jaap of Jaap-Jan zei: 'De port-a-cath weghalen en voortaan chemo direct via je aderen. Of een nieuwe port-a-cath plaatsen.'

Ik zei: 'Doe maar optie a.'

'En verder,' zei hij, 'krijg je hier, in het ziekenhuis, een jaar lang stollingsremmers toegediend. Via een soort trechtertje in je been. Voetballen wordt dan wel een probleem. Of je spuit het zelf in, thuis, twee keer per dag.'

Ik zei: 'Doe maar optie b.'

Dat heb ik geweten. Bij het verwijderen van de port-a-cath heb ik zo hard op mijn kiezen gebeten dat er een stukje af brak. En dan dat eigenhandig prikken: een ramp.

De eerste weken was mijn bovenbeen nog heel. Daarna kreeg ik overal blauwe plekken. Dat werden paarsblauwgele plekken. En toen moest ik in die paarsblauwgele plekken gaan prikken. Soms zat ik te schreeuwen op de wc.

Maar wat ik al eerder zei: ik kan ongelooflijk slecht tegen mijn verlies, dus ik ga niet dood aan een hartinfarct.

Dan weet je dat alvast.

f) De Snipperdag (amusementscijfer 1, ellendecijfer 3)

Ik was naar het Kerstbal. Beregezellig. Er waren wat gasten die shotjes verstopt hadden, op de toiletten, het was een gestoorde boel. En ik stond de hele avond te dansen. Niemand zag me als ziek, ook al sloeg ik de alcohol af. Ik voelde me goed. In mijn eentje goed, met de anderen goed, met de muziek goed, gewoon goed.

Op de terugweg mepte de sneeuw me in mijn gezicht. Iedereen werd door zijn ouders gebracht, maar ik wilde per se op de fiets. Ze sjeesten langs me heen en in al die auto's vroegen moeders aan hun zonen: 'Waarom zit hij op de fiets en jij hier?' Ik zwoegde in mijn jack, in mijn pak, door de storm. Ik voelde me goed, met de regen goed, met de kou goed, met het zwoegen goed, goed met de nacht.

Maar de volgende ochtend wachtte er een chemokuur.

En daar had ik opeens geen zin meer in.

Ik sliep diep en toen ik wakker werd, zei ik tegen mijn

ouders dat ik moe was en misselijk, en dat ik een keertje over wilde slaan.

Ik bedoelde: *wetenjullienogdatiksteedszegdatchemo-mijnwerkisnounuwilikeensnipperdag.*

Ze zeiden: 'Weet je wat? Voor de zekerheid gaan we toch even langs het ziekenhuis. We laten het van de bloedtest afhangen.'

Mijn bloed was goed. Maar Jan-Jaap of Jaap-Jan merkte mijn aarzeling en zei: 'We kunnen de planning aanpassen. Dan schuift alles een weekje op.'

O ja.

Dan was ik ook een week later klaar.

Ik dacht een kwartiertje na en zei toen: 'Kut, doe toch maar.'

g) Een Nieuw Jaar (amusementscijfer 10, ellendecijfer 0)

Kerst vloog om, en op de dertigste december moest ik weer voor een lading chemo. Maar de dag erna, oudjaar, gebeurde er iets: in plaats van ziek werd ik levendig. Ik heb je al gezegd dat je geen enkele invloed hebt op hoe je je voelt – dit was weer eens zo'n wending waar ik zelf verbaasd naar stond te kijken.

Bart, Ward en Kelvin kwamen langs, ze staken wat strijkers af en probeerden me over te halen om mee te gaan naar het jongerencentrum voor het grote 12-uur-feest.

'Ik heb veel minder last dan ik had verwacht,' zei ik, 'maar dat gaat me niet lukken.'

'Kom nou, Bobby,' zeiden ze, voor de vorm, maar ze

begrepen het al. Ze wensten me een goede avond en als er in het jongerencentrum wat te zoenen viel dan zouden ze dat ook namens mij doen.

'Getver,' zei ik.

'Doei,' zeiden ze.

's Avonds zat ik dus thuis. De klok sloop langzaam het nieuwe jaar binnen en nadat ik mijn ouders had omhelsd en Sam en Lennart had gestompt, voelde ik me nog steeds energiek.

Ik trok mijn jas aan.

'Mam, pap,' zei ik, 'ik ben even weg.'

'Wat? N...' zei mijn moeder, maar ik was de deur al uit.

Buiten zag ik al dat oranjeroze siervuurwerk spatten, ik hoorde al die knallen en al dat gefluit en wat ik wilde was lopen en lopen en iedereen die ik kende het mooiste wensen wat ik kon bedenken. Ik wist het ineens heel zeker: het verse jaar zou net zo bruisend worden als ik me nu voelde.

Ik ging op weg en was al snel het dorp uit.

Het vuurwerk doofde, maar dat gaf niet, want nu waren er sterren. Ik bleef af en toe even staan om naar de hemel te staren. Wat een ruimte, dacht ik dan – en ongelooflijk, wat kregen we ook een nieuwe bak met tijd cadeau!

Ik dacht: ik ga bij Ward en Bart en Kelvin langs, ook al zijn ze er niet. Ze wonen een pokkeneind weg, maar hun vaders en moeders waren allemaal verrast en hartelijk en ze wensten mij ook het allerbeste – ze meenden het, ik zag het in hun ogen.

Op de terugweg deed ik nog wat vrienden van de basisschool aan. Moeders die me soms zes jaar niet hadden gezien, trokken hun wenkbrauwen op tot ver boven hun voorhoofd, en ik bleef maar blij en uitbundig, ik herkende mezelf niet.

Pas na een stuk of zeven adressen stortte ik in.

Ik strompelde naar huis, maar ik had zo'n lading warmte over me heen gekregen dat ik in mijn bed met een glimlach naar het plafond lag te staren.

Zo, dacht ik. Zo, jaartje. Ik leef nog en weet je wat – daar gaat voorlopig geen verandering in komen.

Dus kom maar op.

—

Kom maar op, jaar.

Ik werd weer onderzocht. Ze speurden mijn lichaam af naar tekenen van overgave, van terugtrekking van de tumoren, van witte vlaggetjes. Een scan, een echo, dezelfde procedure als de vorige keer. Het team van artsen zou daarna de resultaten bekijken en een week later kwam dan de uitslag.

Maar eerst kreeg ik twee voortekenen. Een slecht voorteken, en een goed.

Het slechte kwam, tijdens de echo, van de assistent die aan het eind van het onderzoek tegen me zei: 'Ik zie nog verkeerde cellen, maar goed, je bent pas op een kwart.'

'Nee,' zei ik, 'ik ben op driekwart.'

'Oei,' zei de gek.

Ik vertelde het maar niet aan mijn vader, die met me mee was.

Het tweede voorteken kreeg ik na de PET-scan. Ik was klaar en wachtte met mijn vader tot ze kwamen zeggen dat de foto's gelukt waren. De deur waar de radiologe uit moest komen was een meter of tien van ons vandaan. Ik las een boekje, mijn vader las een boekje. En toen ging de deur open en hoorde ik haar tegen iemand zeggen: 'Dat is waar we het hier voor doen.'

Ik dacht: gaat dat over mij, hoor ik het goed? Mijn vader had niks gemerkt.

De radiologe kwam naar ons toe, herhaalde niets van wat ze eerder had gezegd en zei, met een neutraal gezicht: 'De scans zijn gelukt, we gaan de oncologen ernaar laten kijken.'

Maar ik wist wat ik had gehoord.

Het ene voorteken hief het andere op, dus ik had het er niet over, thuis. Ik had geen zin om mijn ouders ongerust te maken, en het zou het aantal kankercellen toch niet veranderen. Zo cool was ik die week. Zo rustig.

Toen werd het donderdag. Uitslagdag. Ik had maar vier lessen en ik had op woensdag voor elk van die uren iemand geregeld die, als ik uit de klas moest omdat mijn moeder belde, mijn spullen voor me mee zou nemen. Zodat ik niet terug hoefde als het nieuws slecht was.

En opeens was ik ziek. Ik werd wakker met griep, ik had hoofdpijn en voelde me duizelig. Mijn plan was goed geweest, ik had me prima voorbereid, en al die koelte was ook indrukwekkend. Maar dit ging om mijn leven.

Ik kon niet naar school. Ik lag op de bank en zei tegen mijn ouders: 'Als ze bellen neem ik op. En ik loop naar boven, want ik wil het eerst helemaal zelf horen.'

Ik wachtte en keek Discovery Channel en wachtte – en om kwart voor drie ging de telefoon.

Ik rende naar boven en nam op.

'Met Max.'

'Met Jan-Jaap of Jaap-Jan.' (Dit zei hij natuurlijk niet, hij zei een van tweeën, nou ja, niet belangrijk, sorry voor de onderbreking.)

'Dag.'

'Ik heb de resultaten voor je. Op de foto's van de PET-scan is niets meer te zien. We kunnen officieel zeggen dat de kanker in remissie is. Dat betekent nog niet dat je genezen bent, dat kunnen we pas over vijf jaar zeggen. Maar het gaat uitstekend. Het gaat zoals het hoort.'

Ik zat daar en ik staarde naar buiten. Het licht was wit en heel fel. Het stroomde met bakken over me heen. Ik staarde recht tegen al die helderheid in.

De echo-assistent had het fout gezien, er waren dus geen verkeerde cellen meer. En wat de radioloog in de gang tegen haar collega zei, had ik goed verstaan, en goed begrepen.

Mijn kamerdeur ging open. Mijn vader was toch met me meegelopen.

'Dank je wel,' zei ik in de telefoon.

'Gefeliciteerd, Max,' zei de telefoon terug. 'En tot de volgende keer.'

Nee, ik sprong geen gat in de lucht. Ik deed het tegenovergestelde: ik verstijfde. Als je te veel pijn hebt blokkeert je lichaam, en wie weet, misschien werkt dat met vreugde net zo.

Ik draaide me om, weg van het licht, en keek naar mijn vader. Maar ik moet toch even geglimlacht hebben, want hij sloeg zijn armen om me heen.

Opeens was ook mijn moeder er. Ze kwam bij ons staan en we knuffelden met z'n drieën.

We zeiden bijna niks.

We zaten daar, gehuld in zon, minuut na minuut, en ik was meteen niet grieperig meer.

Ik was dubbel niet-meer-ziek.

—

Ik liep naar beneden en begon de hele wereld berichtjes te sturen. Eerst Kelvin. Bart. Ward. *Ik heb de uitslag gehad. Ik ben in remissie.*

Zij: *Wat betekent dat?*

Ik: *Dat het goed is.*

Zij: *Party!*

En toen naar iedereen, en iedereen naar mij, en dan ik weer terug.

We aten in een pannenkoekenrestaurant, ik nam er een met kip, zoals altijd, en ik had ooit op Facebook gezegd dat ik, als ik gezond van de kankertrein stapte, zou gaan feestvieren, dus ja, de avond erna was er een berucht feest waar we met z'n allen naartoe gingen, en, en, en – daar weet ik niets meer van.

Behalve dat het een van-het-padje-af-feest was.

Behalve dat ik niks dronk, maar dat ik twee dagen lang zo vet dronken was, zo vet alcoholvrij dronken.

En behalve dat ik midden in de nacht Ward en Bart met winkelwagentjes door de straat heb zien racen.

Verder: blanco. Alsof het een comaweekend was.

Raar.

—

Berichten op Facebook, reacties, telefoontjes, bezoeken, kaarten: de dagen erna was de lucht vol van felicitaties. Op school schudde ik de ene na de andere hand. Docenten kwamen in de gangen naar me toe gerend om me te vertellen hoe blij ze waren. Mijn broertjes vroegen of ze nu ook weer eens op de bank mochten liggen. Kelvin, Bart en Ward verklaarden met een hand op hun hart dat ze mijn chemowinden zouden missen.

'Nee,' zei ik.

'Nee?' zeiden ze.

'Nee,' zei ik, 'die gaan jullie niet missen, want ik moet nog vierzestiende.'

'Wááát?' schreeuwden ze, 'je bent toch beter?'

De laatste kuren gingen gewoon door, en dat was best vreemd. En zwaar ook, elke kuur sloopte me wat meer. Maar ik wist dat ik gewonnen had. Ik was niet knockout gegaan, ik had de tegenstander rustig stoten laten uitdelen, om op het juiste moment toe te slaan.

Of nee – ik had helemaal niks gedaan.

Ik had volgehouden. Mijn moeder had volgehouden. Mijn vader en broertjes hadden volgehouden. En op de een of andere manier waren de chemofeeën onder de indruk geraakt, en toen hadden die schattige Vinblastine en Vincristine besloten zich wat meer tegen de kanker te keren en wat minder tegen mij.

Dertienzestiende, veertienzestiende, vijftienzestiende.

Oké, ik had in de aanvalshouding gestaan, maar dat stonden alle kinderen om me heen. Het mooie zeventienjarige meisje met de lange haren, Damian, Quint. Ons baantje zat er bijna op, we werden allemaal bijna ontslagen, maar wie er verlengd werd en wie niet: geen idee. Die regels kenden we niet.

Kankerkampioenschap? Het is een belachelijk woord. Kanker is geen wedstrijd. Of kanker is wel een wedstrijd, maar dan een zonder regels.

Dat soort gedachten had ik toen niet, dat soort gedachten heb ik nu.

Waarom ik die nu heb, leg ik je later uit.

Eerst nog even afscheid nemen.

—

De laatste chemodag brak aan, *zestienzestiende, bám.*

Jan-Jaap of Jaap-Jan verdiende een cadeautje. (Ik heb hem hier geloof ik al die tijd oncoloog genoemd, maar eigenlijk was hij gespecialiseerd in afweersystemen. Jou maakt het niet uit, natuurlijk, maar ik dacht: laat ik eens precies zijn.) Ik besprak met mijn moeder wat we voor hem zouden kopen. Hij had altijd laarsjes aan, en van die fleurige kleren, en de manier waarop hij praatte – 'Eigenlijk,' zei ik, 'moeten we zo'n bloesje voor hem kopen. Met regenboogkleuren.'

'Durf je dat?' lachte mijn moeder.

'Nee,' zei ik, 'straks valt het verkeerd.'

'Volgens mij zou hij het wel grappig vinden,' zei mijn moeder.

'We kopen wijn,' zei ik, 'dat is beter.'

En dat deden we. Maar vlak voor we weggingen plakte ik er toch maar een roze strikje op.

We namen luxe broodjes mee, waarop we de hele afdeling trakteerden. Ik knuffelde met zuster Marina, met eetzuster Gera en met alle andere zestigjarigen.

Daarna klopte ik bij psychologe Isabel aan. Ik was nog een paar keer met haar gaan praten, maar de laatste afspraak dateerde alweer van een paar maanden geleden.

'Kom maar binnen!' riep ze.

Ze zat achter haar bureautje, haar looprek stond weer onberispelijk tegen de verwarming aan geparkeerd.

'Max,' zei ze, toen ik haar een broodje aanbood, 'weet je wel hoe trots ik op je ben?'

'Eh...' zei ik.

'Maar... lastig, hè?' zei ze.

'Wat?' zei ik.

'Afscheid nemen,' zei ze.

Verdorie, ze had me door. Zoals altijd. Ik gaf geen antwoord.

‘Ik neem die,’ lachte ze toen, en ze wees naar een broodje met cranberrypaté. ‘En verder zie ik je wel weer,’ zei ze. ‘Als je hier bent voor je controles, reken ik erop dat je even hallo komt zeggen.’

‘Doe ik,’ zei ik, en ook Isabel kreeg een knuffel.

‘Leuk, dat strikje om die fles,’ lachte Jan-Jaap of Jaap-Jan.

‘We durfden je geen kleurenbloesje te geven,’ zei mijn moeder.

‘Jammer,’ zei Jan-Jaap of Jaap-Jan, en hij giechelde even. ‘Had ik wel leuk gevonden.’

En toen moest hij weer naar iemand anders. Hij gaf me een hand, en ik bedankte hem opnieuw. ‘Ik zie je over drie maanden,’ zei hij, en hij liep weg.

‘Eh...’ zei ik.

Hij draaide zich nog even om. ‘Ja?’

‘Eh...’ zei ik, ‘wat ik al die tijd al wilde vragen... Is het nou Jan-Jaap of Jaap-Jan?’

‘Jan-Jaap,’ zei hij.

‘Oké!’ riep ik. ‘Dag!’

Of misschien zei hij Jaap-Jan. Dat ben ik vergeten.

—

Isabel had gelijk. Ik hou niet van afscheid nemen.

Dus toen we, na het laatste uur van de laatste kuur, uit het ziekenhuis vertrokken, op weg naar de bank en het frituurvet thuis, juichte ik niet.

Ik liep stilletjes achter mijn ouders aan. Ik keek naar

hun ruggen en dacht: zou dit ook anders gaan worden nu? Het samenwerken, de taakverdeling, alles wat zo dichtbij was deze laatste maanden?

Zeikerdje, dacht ik toen.

Kijk even achterom, dacht ik.

En dat deed ik.

Ik keek om, naar het ziekenhuis, naar de gangen, naar de ramen met Chemo-Kasper erop, naar de klapdeuren, naar het kamertje met Winnie de fokking Poeh, en het was alsof ik praatte tegen de kanker zelf, tegen de ziekte in eigen persoon, toen ik in gedachten zei:

Makker, dit heb je verloren. Maar je hebt je een waardige tegenstander betoond. Dus ik groet je, en ik bedank je ook.

Ciao.

Dat was het.

Langzamerhand

werd alles (thuis, school, werk, voetbal, vrienden, meisjes)

weer normaal.

Nou ja, normaal.

Normaal is niet het woord. Ik had de kanker zo knockout geslagen dat ik me onoverwinnelijk voelde. En dus schoot ik – zonder te schakelen van 1 naar 2 naar 3 naar 4 naar 5 – meteen in de zesde versnelling. Ik ging een paar keer per week hardlopen, want ik wilde zo snel mogelijk weer in conditie zijn. Tijdens de chemo was ik tien kilo aangekomen, en nu bám, rende ik daar binnen een maand de helft vanaf.

Ik meldde me bij de supermarkt. Ik zei: 'Doe maar zeven uur per week, dat moet lukken.' Ik kreeg zeven uur per week. En avonddienst. En uitzicht op promotie.

Op school laadde ik alles op mijn schouders wat er te laden viel. Ik haalde de toetsen in die ik vanwege de kuren had gemist. Ik gunde mezelf in de weekenden geen rust, ik maakte lijstjes en werkte alles op die lijstjes weg, ook al zei mijn mentor dat ik kalm aan moest doen. Ik knikte, maar ik was dwars, want ik had tenslotte het hoogst haalbare gepresteerd, dus nu kon ik alles.

In mei begonnen de selectiewedstrijden bij Weetveld Vooruit. Daar wilde ik klaar voor zijn. Ik trainde en trainde en was fit op het moment dat het moest. Resultaat: geselecteerd voor de B1, een team hoger dan ik had verwacht.

Kalm aan? Belachelijk.

Even tussendoor: had ik verteld dat ik een wonderbaby was? Bij mijn geboorte zat de navelstreng om mijn nek gedraaid. Niet één, niet twee, maar zeven keer. Tot dan toe was vier het record. Ik had mezelf dus al opgehangen voordat mijn leven was begonnen, en dat vervolgens overleefd. Ik was de Messi van de kraamkamer.

Daarna was ik de Messi van de kanker.

En nu werd ik verdomme de Messi van mijn hele verdere leven.

Natuurlijk was ik voortdurend bekaf. Maar ik had geen zin om naar vermoeidheid te luisteren. Ik wilde niet één uur minder werken, ik wilde niet één uur minder hardlopen, ik wilde niet minder naar school en toen mijn alcoholvrije jaar erop zat wilde ik ook zeker niet minder uitgaan.

Op zaterdagavond stortte ik om zes uur 's avonds in, maar in plaats van naar bed te gaan nam ik tegen achten twee paracetamol en energydrank. Ik douchte om wakker te worden. En dan gewoon om half negen op weg.

Tijdens het fietsen ging het wel weer.

Ik reed meestal eerst naar Kelvin.

'Pilsje, Bob?'

'Yep.'

Daarna maakte Kelvin zich klaar en ik kletste wat met z'n ouders.

'Nog een pilsje, Bob?'

'Yep.'

Rond half tien raceten we met z'n tweeën naar een van de anderen. ('Pilsje, Bob?' 'Yep.') En daarvandaan om één uur naar de club.

Ik knalde door de avonden heen, en als je dronken bent is dat helemaal zo moeilijk niet. In het begin was ik na vier biertjes al lam, ik wou dat ik dat nog steeds had, want het was heerlijk goedkoop. De jongens maakten er grappen over. Bij mijn eerste slokken riepen ze: 'Draait de wereld al, Bob?'

We pakten onze Ward- en Bart-wedstrijd weer op. We hielden voor elkaar bij wie er de meeste meisjes zoende.

(Als je een meisje bent en dit leest: vergeef me. Een relatie, nee, daar was ik echt niet naar op zoek, maar ik ben een gozer, zo zit dat toch in elkaar, je kent het wel, sorry. Maar meisjes: jullie gingen gewoon mee naar het strand als we jullie dat vroegen. Om drie uur 's nachts nog. In juli. 'Romantisch,' zeiden jullie. 'Ja, ja,' zeiden wij. Waarschijnlijk hielden jullie ook lijstjes bij.)

Kelvin won. Ward had een vriendin, dus die werd derde, en Bart was altijd vaag, die zocht onzichtbare hoekjes op en zei maar wat.

Ik was een goede tweede.

(Helaas begin ik als ik dronken ben complimentjes te geven. Dat is stom. Ik flap er van alles uit, mijn telefoonnummer bijvoorbeeld, ook dat is stom. En dan moet ik de volgende ochtend weer bot doen door niet te antwoorden op berichtjes. Nogmaals sorry meisjes, nogmaals: vergeef me. Ik moest een heel jaar inhalen.)

Tijdens een van die feestjes gebeurde het onvermijdelijke. Het meisje dat ik net voor ik met mijn kuren begon van me af had weten te houden door te zeggen dat ik niet aan speekseloverdracht mocht doen, dook op. Meisje 4.

'Hai!' zei ze.

Kelvin, Bart en Ward zagen het en begonnen te grijnzen. Als coyotes.

'O,' zei ik, 'hoi.'

'Hoe gaat het met je?' vroeg ze.

Ik dacht: fuck, wat moet ik doen, dit is geen meisje

voor op de lijst, dit meisje rekent op meer. Maar ik zei: 'Goed, ik ben genezen.'

'Ooohhhh,' zei ze.

En ja hoor, de coyotes zeiden het ook: 'Ooohhhhh.'

'Wát?' riep ik, naar die gasten.

Meisje 4 begon te smilen. Met zo'n zeven-shotjes-lachje. En ze zei: 'Je had nog wat beloofd.'

'Ja!' schreeuwden de coyotes. 'Je had nog wat beloofd!'

'Eh...' zei ik.

En toen danste ze weg. Maar niet voordat ze in mijn oor fluisterde: 'Die belofte is voor later op de avond.'

Op dat moment maakte ik een fout. Ik zei tegen die gasten: 'Dit trek ik niet. Jullie moeten me helpen.' Met als gevolg dat ze, toen ik een uur of wat later naar huis wilde, tegen me zeiden: 'Wij pakken je jas wel, Bobbie. Kijk eens wie we hier hebben?'

En daar stond ze. Ik keerde mijn hoofd af, maar Kelvin pakte me bij mijn oren en draaide me weer terug. Nu kon ik niet anders. Ik zoende héél, héél even, ik dacht nog: als ik het snel doe telt het niet. En ik kreeg toch nog hulp. Niet van die amateurvrienden van me, maar van de uitsmijter, die achter me stond, die zich iets te abrupt omdraaide en tegen mijn achterhoofd bonkte. Waarop ik met mijn tanden tegen haar tanden bonkte. Waarop zij begon te vloeken. Waarop ik weg kon glippen.

'Rennen!' riep ik buiten, tegen de coyotes.

De coyotes begonnen te janken.

Jan-Jaap of Jaap-Jan was intussen bij een ander ziekenhuis gaan werken, en dus trof ik bij mijn controles weer de hoofdoncoloog die me ooit had verteld dat ik ziek was. De man die zo kalm sprak, en zo overtuigend. Elke drie maanden moest ik naar hem toe, de ene keer voor de uitslag van een scan, de andere keer voor een voelcontrole. Hij is Ajaxfan. En Liverpool kan hij ook verdragen. We hadden het daarom altijd eerst tien minuten over de laatste resultaten en de nieuwe aankopen. Daarna klooiden we nog eens tien minuten met het verstelbare bed, het moest wat hoger, maar waar zat die knop ook weer? En dan voelde hij in mijn nek, met duim en wijsvinger, en langs mijn adamsappel, langs mijn luchtpijp, langs mijn sleutelbeen. Ik staarde altijd naar de andere kant van de kamer, totdat hij zei: 'Dit voelt correct.'

Want dat was het elke keer weer: correct. De kanker kwam niet terug.

Natuurlijk kwam de kanker niet terug.

Het werd zomer

(tijdens een wild feestje was ik de injecties die ik mezelf moest geven zo zat, dat ik het, om ervan af te zijn, midden in de kamer deed, *tsjak*, 'Yo gast,' zeiden ze, 'wat ben jij aan het doen?', en toen moest ik het natuurlijk helemaal uitleggen, wat best stom was, maar ook een soort opluchting, en daarna zei een van die jongens: 'Ik had het ook wel voor je willen doen'),

het werd herfst

(via Stichting Doe Een Wens mocht ik naar Liverpool, een wedstrijd zien, het was me al een jaar eerder beloofd, maar toen kon het niet doorgaan, nu wel, het was geweldig, ze wonnen met 1-0, op de boot was iedereen misselijk behalve ik),

het werd winter

(ik ging weer naar het kerstbal, en op mijn kamer hangen sindsdien twee groepsfoto's naast elkaar, die van het chemojaar – dunner haar, Prednisongezicht – en die van een jaar later. We waren met opzet in precies dezelfde houding gaan staan, en ik ben op dat tweede portret minstens tien centimeter langer. En mijn lach is minstens tien centimeter breder),

het werd oudjaar en nieuwjaar

en het werd lente.

En toen –

Tja.

Ik heb even wat pagina's opengelaten, want ik heb geen zin om verder te schrijven.

Nee, nog steeds waren de controles goed, maak je geen zorgen.

Oké dan.

Het gebeurde precies op eenentwintig maart. Lente.

Ik was lekker vroeg opgestaan. Ik wilde nog even een hoofdstuk voor bio lezen, want we hadden die ochtend een proefwerk. Op de bladzijde die ik bestudeerde ging het over Felix, een verzonnen jongen. Felix voelde zich slap en hij zag wit onder zijn vingernagels. Kon dat a) griep zijn, b) de ziekte van Pfeiffer of c) bloedarmoede. Ik zat aan het bureautje in mijn kamer, dacht na over het juiste antwoord (c), en keek per ongeluk naar mijn linkerarm. Daar zat een schrammetje.

Opeens raakte ik in paniek. Ik dacht: straks heb ik wat Felix heeft. Bloedarmoede. Of erger. Het beeld van de schram joeg door mijn hersens. De rode streep op mijn arm groeide en groeide, en mijn hart begon te bonzen.

Ik kon niet meer lezen. Ik legde het boek weg, keek op mijn computerklok, keek nog eens op mijn computerklok, gooide in de badkamer water in mijn gezicht, ging op de rand van mijn bed zitten, stond meteen weer op, pakte mijn tas in en vertrok zonder iets tegen iemand te zeggen naar school.

Tot en met het inleveren van het bio-proefwerk ging het goed. Maar daarna, op de gang, voelde ik hoe een enorme hoofdpijn zich achter mijn ogen uit begon te vouwen. Gelukkig had ik een tussenuur, dus ik trok me terug in de mediatheek en probeerde te ontspannen.

Ik zat er nog geen vijf minuten, of de dame van de mediatheek riep 'Ssh!' tegen een paar tweedeklassers die binnenstormden, 'ssh!'

'Maar Danisha is flauwgevallen!' riepen ze. 'Er komt een ambulance aan. En haar zus zit hier, die moet mee!'

Ik kende Danisha niet, ik kende haar zus niet, ik kende de tweedeklassers niet, maar plotseling sloeg mijn hart weer alarm. Er sprongen zweetdruppeltjes op mijn voorhoofd. Ik begreep niet waarom dat gebeurde. Ik wist alleen dat ik weg moest, daar. Weg van ambulances en ziekteberichten.

Halverwege de volgende les hoorde ik de leraar Duits, dicht bij mijn oor, tegen me zeggen: 'Gaat het, Max? Je zit een beetje raar voor je uit te staren.'

Ik zat zo te piekeren dat ik niet had gemerkt dat hij naast me was komen staan. Ik schrok op en mompelde: 'Even wat drinken.' En liep het lokaal uit.

Ik boog voorover naar de kraan in het toilettenblok. Dat was geen goed idee. Opeens was ik bang dat mijn hart zichzelf door mijn mond naar buiten zou tijgeren. Ik slikte een kokhalsbeweging weg, ging snel weer rechtop staan, hield me aan de rand van de wasbak vast en wist zeker dat ik ook flauw zou gaan vallen. Net als Danisha uit de tweede.

Dat kon niet, dat mocht niet, als het moest gebeuren, dan niet hier. Ik vermande me en haastte me naar mijn fiets.

Ik weet niet hoe ik het die twintig minuten dat ik onderweg was volgehouden heb, want ik trilde en mijn borst beukte en ik kreeg moeite met ademhalen, en toen ik thuis was donderde mijn fiets onder me vandaan tegen de tegels, en ik strompelde naar binnen, viel neer op de bank en riep hijgend tegen mijn moeder, die in de keuken stond te roken, dat het niet goed ging. Écht niet goed.

Ze schrok en rende naar me toe. Ik weerde haar af, want ik wilde niet dat ze me aanraakte. 'Wat is er?' zei ze. 'Moet ik een ziekenwagen bellen?'

Ik schudde mijn hoofd, wat pijn deed, ik legde een hand op mijn ogen en kon nog net uitbrengen: 'Wacht. Tien. Minuten.'

Het waren afschuwelijke minuten. Het enige wat ik dacht was: *ik ga dood. Ik heb net een bio-proefwerk gemaakt, de lente is begonnen, en ik krijg een hartaanval, of een beroerte, of wat dan ook, maar dit overleef ik niet. Deze pijn kan geen enkel lichaam aan.*

Tijdens mijn hele kuur was de gedachte aan sterven niet bij me opgekomen. Niet echt. En nu was het dan zover. Ik dacht: ik moet nog zoveel regelen, dit kan niet, het is te vroeg.

En ik dacht vooral aan mijn broertjes. Aan Sam en Lennart. Nu kon ik niks meer voor ze doen. Ik zag weer voor me hoe ze wegrenden toen ze voor het eerst zagen hoe ik door de chemo verrot geslagen was, hoe ze daarna omzichtig door het huis slopen om mij maar niet te storen. Ik zag ze lachend voor me, en gamend, en grinnikend, en bang, en klein. En nu zou ik ze dit ook nog aandoen. Mijn broertjes. Ik lag daar op de bank te sterven en zij, zij waren van alle mensen om me heen het kwetsbaarst. Ik begreep ze zo slecht, maar ik hield zo van ze.

Ik wilde huilen, maar die actie kon mijn lichaam er niet bij hebben, het lag al te stikken en een hartaanval te krijgen en de boel af te sluiten met rood lint en politiesirenes.

Mijn moeder zette een glas limonade voor me neer.

Ik had niet eens gezien dat ze weggelopen was.

Ze zei: 'Zal ik de huisarts bellen?'

'Ja,' fluisterde ik, tussen twee gierende inademingen door.

De huisarts was er niet.

'Toch het ziekenhuis?' vroeg mijn moeder.

En toen, opeens, kalmeerde ik. De aanval luwde en ik kon weer voluit ademhalen.

Ik stierf dus niet, nog niet.

Ik duwde mezelf overeind, zei tegen mijn moeder dat ik me wat beter voelde, pakte het glas limonade van tafel, want ik shakete veel minder nu, ik nam een slok en ging weer liggen.

'Laat maar,' zei ik. 'Ik weet niet wat ik had.'

Ik zuchtte. Ik was doodmoe, dat wel, en ik had hoofdpijn, maar het licht deed geen pijn meer aan mijn ogen.

'Het was iets raars,' zei ik, 'te veel geleerd of zo. Het begon met een schrammetje.'

'Wat gek,' zei ze, en ze keek zo bezorgd naar me, ze keek alsof ze een echo van mijn gedachten aan het maken was, en daarom zei ik: 'Ik ga even naar boven.'

Ik liep langzaam de trap op, liep langzaam naar mijn kamer, liet me voorzichtig op de bureaustoel zakken, deed mijn computer aan.

Ooit, bij de bult onder mijn shirt, had ik mezelf gezegd: 'Max, wat je ook doet, je gaat niet googelen.'

Maar nu was ik zwak. En dus ging ik googelen.

—

Ik zocht op 'angstaanval', ik klikte een paar keer, en daar stond het: 'hyperventilatie'.

Ik las: *U ademt te snel of te diep. Ontstaat door angst en spanning, vaak zonder dat u het zelf beseft. U hebt last van benauwdheid en duizeligheid. Hyperventilatie kan geen kwaad, maar is erg vervelend. De aanvallen kunnen regelmatig terugkeren.*

Ik ging weer naar beneden, zei tegen mijn moeder: 'Het is niks. Hyperventilatie. Proefwerkstress, denk ik. En in het weekend iets te weinig rust genomen.'

Ze keek nog steeds bezorgd, maar ze zei: 'Oké...'

'Gaat het wel?' zei ze.

'Ja,' zei ik. 'Gewoon even bijslapen.'

Daarna bleef ik de hele dag op mijn bed liggen, en toen op de bank, en zodra mijn broertjes thuiskwamen keek ik met ze mee naar hun stomme tv-programma's. Dat deed ik nooit, maar ze vroegen niets. Ze keken me niet eens verbaasd aan. Zie hielden alleen de afstandsbediening steviger vast.

—

Ik had mezelf min of meer gerustgesteld. *Hyperventilatie kan geen kwaad.* Maar de rest van de week dacht ik voortdurend na over mijn ademhaling. Het was alsof die niet meer vanzelf ging. Alsof ik mezelf steeds weer een opdracht moest geven: nu inademen, Bobby, niet te diep en niet te snel. Nu weer uitademen, Bobby, niet te diep en niet te snel. Ik werd er teringmoe van. En ik voelde me ook duizelig. Alsof ik al weken niet gegeten had, zo voelde ik me. De Messi van de zwakte.

Op zaterdag zou ik met Bart, Ward en Kelvin naar de film, en daarna uitgaan, maar midden onder *The Hunger Games* gebeurde het weer: zweten, duizeligheid, steken in mijn borst, en dus fluisterde ik met mijn laatste krachten: 'Gasten, ik heb hoofdpijn. Misschien griep. Ik ga naar huis. Mazzel.'

Ik schoof de rij uit, de bioscoopzaal uit, stapte slap op mijn fiets en reed als een weekdier naar huis.

Toen ik thuiskwam was de aanval alweer voorbij, maar de rest van het weekend bleef ik me lusteloos en vervelend voelen, dus toen er op maandag een paar lessen uitvielen, besloot ik naar de huisarts te gaan. Hij luisterde aandachtig naar mijn verhaal en zei: 'We gaan eerst het zuurstofgehalte in je bloed eens controleren.'

Dat was 100 procent. Klinkt goed, klinkt perfect, maar het hoort dus tussen de 95 en 99 procent te zijn. Ik kreeg veel te veel van het goede binnen. Mijn lichaam was tot aan de rand gevuld met zuurstof. Vandaar dat lichte gevoel, ik steeg bijna op.

De huisarts, met zijn vertrouwde stem, deed me voor hoe ik bij acute ademhalingsproblemen een zakje voor mijn mond moest houden. Dat vulde zich dan met oude, ontzuurstofde lucht, en als ik die inhaleerde mengde de lage concentratie zich met mijn veel te hoge concentratie. Simpel.

'Maar,' zei hij, 'hoe zit het met de stress?'

'Die heb ik niet,' zei ik. 'School, thuis, werk, gezondheid, alles is oké.'

'Weet je het zeker?' vroeg hij.

Ik zei: 'Volgens mij wel.'

'Denk er anders nog eens over na,' zei hij.

Drie dagen later ontdekte ik weer een schram, nu op mijn linkerarm. Ik dacht terug aan die andere, rechts. En kreeg mijn derde aanval.

Ook dit keer was ik bang. Ik zweette, ik trilde en voelde mijn hart radeloos met z'n vuisten tegen mijn ribben meppen, maar ik wist wat er met me aan het gebeuren was. Ik zocht een zakje, ademde erin, en langzaam, langzaam, langzaam trok de paniek zich terug.

—

'Hoezo stress?' zei mijn vader.

We keken naar een nare talkshow, laat op de avond, het ging over politiek en de mannen die daar rond de tafel zaten luisterden niet naar elkaar.

'Nee, vergeet het, boeien,' zei ik.

Mijn moeder, die uit de keuken kwam met een pilsje voor mijn vader en een rode wijn voor zichzelf, vroeg: 'Wat bedoel je, Max?'

'Niks,' zei ik, 'ik zei alleen dat ik volgens mij geen stress heb. Ik zou niet weten waarvan.'

'Niet?' vroeg ze.

'Nee,' zei ik, 'want alles gaat goed. En als ik geen stress heb kan het ook geen hyperventilatie zijn. Dat gedoe bedoel ik, van vorige week.'

Mijn moeder nam een slokje van haar wijn. Ze keek me over de rand van haar glas aan, maar zei niets.

Een van de mannen op tv begon vals te glimlachen. Hij dacht dat hij aan het winnen was, dat kon je aan die gluiperige uitdrukking zien.

Ik wist niet wat ik verder nog moest zeggen.

En toen riep mijn vader: 'Kunnen we zappen? Ik word gek van dat gelul.' Het was niet duidelijk of hij het over de talkshow had, of over ons eigen gesprek. Hij zette zijn pilsje neer, boog zich naar de tafel om de afstandsbediening te pakken, en terwijl hij dat deed draaide hij zich naar mij en zei: 'Stress, stress... Dat is een modewoord.'

'Eh ja, pa,' zei ik, 'bedankt voor deze sterke bijdrage.'

Hij zapte.

Hij zapte verder.

Daarna keek hij me nog eens aan, en nu herkende ik de blik in zijn ogen die leek op de paniekblik die ik zag als we de uitslag van een controle moesten krijgen. Mijn vader was dit laatste jaar zo schichtig geworden als het over dokters ging, over scans en echo's en bloedwaarden. Hij zapte weer, en zuchtte.

'Ik vind dan...' zei hij toen, 'ik vind... het zit tussen je oren.'

'Oké...' zei ik.

'Ja,' zei hij. 'Gewoon de andere kant op denken.'

'Nou...' begon mijn moeder.

'Luitjes,' zei ik, 'ik ga maffen.'

—

Stichting Doe Een Wens organiseerde een dagje Efteling. Alle kinderen voor wie ze dat jaar iets hadden geregeld waren uitgenodigd. Ik dus ook.

Ik wilde niet. Ik was nu al een jaar genezen, dit gold niet voor mij. Maar de stichting doet dit soort dingen voor het hele gezin, niet alleen voor de patiënt, dus ook al was ik geen patiënt en wilde ik ook niet meer zo worden gezien, ik kon toch moeilijk tegen Sam en Lennart zeggen: vergeet het maar met je uitje. 'De hele Efteling alleen geopend voor ons!' riepen ze al dagen, dus al dagen zei ik: 'Ja, ja.'

Na een autorit door de miezerregen liepen we van de parkeerplaats naar de ingang, naar de enorme rij daar stond. We sloten aan, en ik dacht: shit, vrijwel iedereen hier is nog ziek. Ik kon niet anders dan naar ze kijken. Overal rolstoelkinderen, overal kale koppies.

Het was alsof ik vastgepakt werd door een enorme hand, en alsof die hand zich sloot. Opeens voelde ik al hun misselijkheid, ik voelde hoe ze zweetten onder de dekens, ik zag hoe ze in de ochtend de laatste losse haarplukken van hun kussen veegden, ik kende hun kankermoeheid, een moeheid die je aan niemand kunt uitleggen, ik voelde de schrik van hun ouders, en de dag begon als een doorgekrast sprookje, want ik stond verdomme bijna te huilen.

'Ma,' zei ik zachtjes tegen mijn moeder, die voor me stond. 'Dit is niet echt waar ik op had gehoopt.'

'Straks verspreidt iedereen zich,' fluisterde ze. 'Dan hoeven we ze niet echt te zien.'

'Oké,' zei ik, al wilde ik eigenlijk roepen: 'Kom, we gaan terug.'

Maar ja, Sam en Lennart schreeuwden dat ze zes keer in de Python gingen, dus ik zei niets meer. Ja, ik stak een speech af tegen mijn eigen hersens: *Genoeg, klaar, zo'n ramp is het niet.*

Mijn broertjes renden voor ons uit naar de achtbaan, en ik deed net of ik me ook op de snelheid en de buitelingen verheugde. Maar de speech had nauwelijks geholpen. Dat wil zeggen: mijn hersens hadden braaf zitten luisteren, en de ene helft was ook heus wel een beetje onder de indruk geweest, maar de andere helft was opgesprongen en gilde nu: *kijk eens op dat bordje*!

Ik keek op het bordje naast de wachtrij. *Deze attractie is niet geschikt voor zwangere vrouwen en mensen met hartproblemen*, stond er. *Hartproblemen!* riep mijn hoofd. *Je injecties zijn afgelopen, maar weet je zeker dat dat stolseltje geen kwaad meer kan? Zal je zien dat het losschiet als je ondersteboven hangt!*

Er sprong zweet op mijn voorhoofd, het begon te jeuken bij mijn haargrens, maar ja, even later zat ik vastgeklikt in het wagonnetje, en toen spoelde de adrenaline over alles en iedereen heen, en dacht ik nergens meer aan.

Er was een musicalvoorstelling (best oké), er was een diner (best oké), en ik hield vol, zo goed en zo kwaad als ik kon. Ik probeerde me vast te houden aan het mooiste moment van de dag. Dat beleefde ik toen we langs een wachtrij liepen. Want daar zag ik, bijna vooraan, Damian. De Feyenoord-jongen.

Ik had zo vaak aan hem gedacht, en aan het mooie meisje van zeventien, en aan kleine Quint. Een op de vier overleeft het niet. Dat had ik me ooit, dom en onwetend, in mijn hoofd gehaald en sinds ik in remissie was vroeg ik het me, in zwakke nachten, nog steeds wel eens af: wie van ons is er omgevallen?

Het meisje had ik inmiddels bij een controle teruggezien, ze verschool zich onder een capuchon, maar haar moeder vertelde dat haar haren al aan het teruggroeien waren. En bij mijn vorige ziekenhuisbezoek zag ik ook kleine Quint. Hij rende blij langs me heen en schreeuwde 'Doei!' tegen de zusters, 'Doei!' tegen de artsen en 'Doei!' tegen het hele ziekenhuis.

Damian was de enige van wie ik niet wist of hij nog leefde. Hij zal het dan wel zijn, dacht ik soms, ik hoop dat ze in de hemel ook een Feyenoord hebben.

En nu stond hij daar. Hij stak zijn duim op. Ik stak mijn duim op.

Hij zag er goed uit.

We hadden het verdorie allemaal gered.

We zaten in de auto en reden terug. Sam en Lennart lagen onderuitgezakt te gamen en ik leunde met mijn voorhoofd tegen het zijraam en dacht: het is voorbij. Ik heb geen hartaanval gehad. En ook geen ademhalingsproblemen.

Ergens in de buurt van Dordrecht stonden we voor een stoplicht te wachten. 'Moet je kijken,' zei mijn vader. 'Hier rechts, die auto. Weet je wie er ook zo een heeft? Edwin van der Sar, van Ajax.'

'Verrek,' zei hij er meteen achteraan. 'Het is hem! Het is Edwin van der Sar!'

Op dat moment keek Van der Sar onze kant op.

We zwaaiden. Hij zwaaide terug. Dat was aardig van hem, want hij kende ons niet.

En toen kreeg mijn vader een sms. *Ding, ding.*

'Kijk even,' zei hij tegen mijn moeder.

Die klikte het bericht tevoorschijn en sloeg haar hand voor haar mond.

'Wat?' vroeg ik, want ik wist meteen dat er iets aan de hand was.

'Je elftalleider,' zei ze. 'Hij is opgegeven. Ook die rotziekte. Ze denken dat hij nog maar een week te leven heeft.'

'Dat meen je niet,' zei mijn vader.

Van der Sar gaf gas, wij ook, en de rest van de rit bleef het stil.

—

Trainers kwamen en gingen, bij Weetveld Vooruit, maar de elftalleider was er altijd. Hij had me door de barbecuemiddag geloodst, bijna twee jaar geleden, toen ik moest vertellen dat ik ziek was. En nu was hij zelf ziek, en opgegeven, en ik kon niet eens meer naar hem toe, want het duurde inderdaad nog geen twee dagen, en toen was hij dood.

Ik had hem niet eens meer een kaartje gestuurd. Dat wilde ik wel, en ik had het ook in mijn Liverpool-boekje geschreven, het schrift met harde kaft dat ik van het team had gekregen en onlangs teruggevonden had. Het was nog leeg. Het enige wat er nu in stond was: *Kaart kopen voor het te laat is.*

Maar het was dus al te laat.

Ik was nog nooit bij een begrafenis geweest.

Ik had de hele ochtend zitten nadenken over mijn ademhaling, de hoofdpijn wolkte achter mijn ogen, en opeens was het tijd om te gaan.

In de kerk zaten we met het team bij elkaar, Kelvin was links naast me in de bank geschoven, Ward en Bart rechts.

De dienst begon met het voorlezen van een afscheidsbrief die de elftalleider aan al zijn voetbaljongens had geschreven. Hij bedankte ons voor de gezellige jaren. Ik ademde en ik ademde en ik dacht: dat hadden wij aan hém moeten schrijven.

Ik kreeg pijn in mijn schouders en pijn in mijn borst. De kanker had de elftalleider geen enkele kans gegund. Hij was met tweehonderd tanks op hem in gereden, met een Kazachstaanse kalasjnikov had hij de elftalleider neergeschoten, van drie centimeter afstand. Niks kampioenschap.

En iedereen was zo kapot. Zijn vrouw, die me het spreukenboekje gegeven had, twee jaar geleden. De rest van zijn familie. De jongens om me heen.

Ik weet niet hoe ik de minuten doorgekomen ben, maar een halfuur later liepen we op de begraafplaats. De stoet hield stil en de dominee begon weer te praten. Ik kon hem niet verstaan, maar dat gaf niet. Ik zag de elftalleider voor me. Met zijn open armen zag ik hem, zoals hij me had geknuffeld. Ik zag hem me een knipoog geven, ik zag hoe hij me een blikje bier aanreikte.

Kelvin, Ward en Bart stonden nog altijd om me heen.

Ik durfde niet naar ze te kijken. Want ze huilden. Dat hoorde ik.

De mensen voor ons kwamen in beweging en even

later begon de trage ronde langs het graf. De kist stond op een bed van bloemen, klaar om weg te zakken. Dit was de laatste keer dat we de elftalleider konden groeten. Daarna was hij weg. De dood is een eeuwige nacht, die alleen maar kan uitmonden in vergeten. We zouden vergeten wie hij was geweest.

Dit kon ik niet.

Mijn lichaam begon te schokken.

We jankten allemaal, maar ik het luidst, ik voelde handen op mijn schouders, armen om mijn rug, en ik was zo in de war, de snikken stootten door me heen.

Het duurde niet lang, misschien, ik weet het niet. Op een gegeven moment werd ik door de anderen meegenomen, op weg naar onze fietsen.

Toen zag ik mijn ouders.

'Ik kom zo,' zei ik schor tegen Kelvin.

Ik wachtte op mijn vader. Ik had zijn dikke buik even nodig.

—

Je denkt nu misschien: Bob, Max, Bobbymax – natuurlijk was dat heel triest, van je elftalleider, maar je hebt hem maar een paar keer genoemd in dit verhaal. Waarom ging je nou zo stuk?

En dan zeg ik: dank je voor deze vraag, ik waardeer het dat je meedenkt.

Maar a) ik kende de elftalleider al vanaf mijn vierde. Hij kwam vaak bij ons thuis en ik zag hem tijdens elke training en bij elke wedstrijd. Hij hoorde tot de personen van wie je denkt dat ze er altijd zullen zijn: de kleuterjuf, de dokter, de buurvrouw – de mensen die de betrouwbare verbinding vormen naar de rest van de wereld, de mensen die je stroomtoevoer zijn, je wifi.

En b) ik begreep zelf ook niet waarom ik zo diep wegzakte.

Want dat gebeurde er.

Als ik mijn leven met een huis vergeleek, dan bracht ik het grootste gedeelte op de zolder door, met alle kantelramen open. Van tijd tot tijd deed ik zelfs een dansje op het dak. Maar nu verhuisde ik naar beneden, naar de kelder. En die kelder had zelf ook een kelder en zelfs daar zocht ik nog naar een luik in de vloer, een luik dat me naar een kruiplaag bracht.

De weken na de begrafenis bewoog ik me dus in een krappe wereld. Ik kreeg nog een serie aanvallen, de een groter dan de ander, en ik hield ze verborgen. Ik ging uit met de jongens, maar ik stond op de dansvloer en dacht: als er nu iets gebeurt kan niemand me redden. Eer ze het begrijpen, eer ik buiten ben... Soms was ik er opeens van overtuigd dat ik niet meer kon ademhalen, en dan raakte ik zo in paniek dat ik juist niet meer aan ademhalen dacht, en ik dus weer ademhaalde. Het was een krankzinnige tic. Die niemand merkte.

Maar door al mijn hoofdpijn en vermoeidheid heen moest ik het inmiddels wel onder ogen zien: ik had een tweede ziekte.

En deze was nog waziger dan de eerste.

—

Terwijl mijn hoofd zich afsloot voor het licht en voor de vrolijkheid van anderen, begon ik te denken aan mijn eigen dood. En aan hoe ik zelf begraven wilde worden.

Het zou niet droevig zijn.

Ik zou een toespraak geschreven hebben, met grappen erin, en Kelvin, of misschien Bart, zou hem voorlezen. Ik zou erin uitleggen dat ik veel mooie dingen had meegemaakt. Dat mijn leven heus niet zo dramatisch was geweest.

De bijeenkomst zou eindigen met het Liverpool-lied. *You'll never walk alone.*

's Nachts, in de meest onverlichte uren, speelde ik het hele scenario van de samenkomst af, in mijn hoofd. Het werd bijna een hobby.

Kijk, daar lag ik, in de kist.

Aan het eind zag ik de mensen dan met een tevreden gevoel de kerk uit lopen.

Niemand droeg zwart. Dat had ik verboden.

—

De aanvallen hielden maar niet op.

Ik was in de supermarkt aan het werk. Het was aan het eind van de avond en ik had een goeie kar: frisdrank, dat knalt zo makkelijk de schappen in, en toiletpapier, ook geweldig. Er waren niet veel klanten meer en de sfeer was goed. Ik was inmiddels vulbegeleider, een baantje dat ik grappig vond en waar ik goed in was, het werk was altijd op tijd klaar. Maar die avond stond ik dus zelf te vullen, toen opeens mijn button op de grond viel. Mijn Ik help-u-graag-smiley-button. *Dakoink, doenk, doenk.*

Ik bukte me, om hem op te rapen.

En ik hoorde een knak.

In mijn hoofd.

Ik dacht: *nu is het echt.*

Oké, dacht ik, daar ga ik.

De vorige keren was er uiteindelijk niks aan de hand geweest, maar dit had ik werkelijk gevoeld en werkelijk gehoord, nu was er een ader geknapt, dit was een hersenbloeding, dag wereld.

Ik kwam overeind en moest me ergens aan vasthouden. Er sloeg een hete gloed over me heen, een panische vloed, die maar heel geleidelijk wegebde. *Nu is het echt.*

Ik pakte heel voorzichtig het laatste pak Page uit mijn kar, schoof het in de stelling en liep naar kantoor. Daar ging ik zitten. De manager was al naar huis, dus terwijl ik probeerde het beven van mijn vingers in bedwang te houden, schreef ik een lijstje voor de vullers die mijn werk af moesten maken.

Even later zat ik op de fiets. Ik dacht mezelf duizelig. Had ik nu een hersenbloeding? Wanneer merk je daar de gevolgen van? Meteen? Na een uur? Na een dag?

Ik kwam thuis.

Mijn broertjes zaten Zelda te spelen, en mijn ouders keken tv.

'Hé,' zei mijn moeder, 'je bent vroeg.'

Ik ging tussen ze in zitten en probeerde niets te laten

merken. Ik dacht: ik ben nu thuis en ik ben veilig en ik probeer nergens aan te denken.

Maar ik hield het niet vol.

Al na vijf minuten begon ik te praten. Ze moesten het van me overnemen, ik kon niet verder zo. Ik dacht: klein beginnen, en langzaam het verhaal uitbouwen, dat is het beste.

'Het werken ging goed,' zei ik, 'maar op het laatst voelde ik een knak in mijn hoofd.'

Meteen keek iedereen op. Mijn vader, mijn moeder, Sam en Lennart. En ik zag het in hun ogen: *nee, niet wéér, hier hebben we geen zin in.*

Ik schrok van de spanning die er opeens in de lucht hing.

'Max,' zei mijn vader, 'je moet er nu wel mee kappen, hoor. Je moet het achter je laten.'

O. Zo dacht hij dus.

Ik wist het wel.

Of ik had het kunnen weten.

Ik wreef over mijn slapen en keek opzij. 'Wow, pap, goed advies. Als ik dat kon had ik dat al gedaan, denk je niet?'

'Je vader heeft wel gelijk,' zei mijn moeder voorzichtig. 'Het gaat erom dat je op een andere manier gaat denken.'

'Weet je wat?' zei ik. 'Laat maar.'

—

Ik ging naar mijn kamer.

Ze vonden dat ik dingen verzon. Goed. Dan verzon ik ze. Ik was zo boos dat ik meteen geen last meer had van mijn duizeligheid.

Eenmaal boven kalmeerde ik een beetje. Ik viel neer op mijn bureaustoel. Ik moet ze er ook niet mee lastig vallen, dacht ik. Ze hebben al zo veel voor me gedaan – en er zijn grenzen aan het Bobby-syndroom.

Ik probeerde de nieuwe situatie onder ogen te zien. Als ze gelijk hadden, was ik gestoord. En als mijn ouders zich vergisten en er werkelijk iets gebeurde, dan kon ik hen dus niet meer inschakelen.

Dit moet ik in mijn eentje zien op te lossen, dacht ik. Of kon ik Kelvin en Bart en Ward inschakelen?

Nee, nee. Die zouden me net zo cavia-achtig aan gaan staren als Sam en Lennart, en ze zouden denken: nu moeten we Bobby lossen, want Bobby heeft zijn hersens gelost.

Ik liet mijn hoofd in mijn handen zakken, en deed mijn ogen dicht. Ik moest proberen een plan op te stellen. Een mentaal behandelplan.

Ik zag het Liverpool-boekje liggen. Het schrijfschriftje waar ik alleen nog maar in geschreven had dat ik de elftalleider een kaartje moest sturen. Onder het clublogo stond: *You'll never walk alone.* Pfah, dacht ik.

Ik sloeg het open en scheurde de eerste bladzijde eruit.

Zo. Nu was het weer een leeg schrift.

Ik pakte een pen en schreef: *Ik ga dit boekje gebruiken voor iets nuttigs. Ik wil van mijn angsten af.*

Zo. Dat was een begin.

Maar toen werd ik opeens zo moe, zo doodmoe.

Ik legde mijn hoofd op de bladzijden en deed mijn ogen dicht.

Even later deed ik ze weer open, kwam overeind en schreef: *Let's go.*

Daarna zuchtte ik, en ging naar bed.

—

De dag erna schreef ik *Weer huisarts* in mijn boekje, en belde zijn assistente om een afspraak te maken. Ik kon meteen na schooltijd terecht.

Ik vertelde de dokter opnieuw van de koppijn en van de vermoeidheid en ik zei dat ik mijn lichaam niet begreep, en mijn hoofd ook niet.

'De pijn,' zei ik, 'ik wil weten wat de echte pijn is en wat de stresspijn is. Ik moet die twee uit elkaar zien te houden.'

'Bij de kanker was het zo duidelijk,' zei ik. 'Ik zag de bult en ik wist dat het fout was. Ik wist dat mijn leven ging veranderen. En om de een of andere reden was ik er klaar voor. De knop ging in één keer om. Nu twijfel ik overal over, ik heb geen idee, ik ben een vervelend mens.'

'Ik vertrouw niks meer,' zei ik. 'Vorige week zei ik dat het verdacht was dat ik de hele tijd hoofdpijn had, maar toen zei mijn moeder dat ze dat zelf ook zo vaak heeft, dat dat normaal is, en eventjes hielp het om dat te weten, maar nee, eigenlijk hielp het niet.'

Ik zei: 'Er wordt altijd gezegd dat je moet praten. Maar als ik aankom met mijn vage verhalen dan weten mijn ouders echt niet hoe ze moeten reageren. Ze hebben geen oplossing, en het enige wat er gebeurt is dat mijn moeder rondloopt met zorgen. Nou, dan is er dus geen winnaar.'

'Ik wil ze mijn gezeik niet laten horen, dokter. Ik wil niet degene zijn die zeikt. Ik heb nooit problemen, dokter. Ik ben verslaafd aan geen problemen hebben.'

Dat soort dingen zei ik en de huisarts stelde nog wat vragen, dacht na, keek in zijn computer en vertelde toen iets over antidepressiva en over echte begeleiding.

Toen ik wegliep uit zijn spreekkamer kon ik mezelf wel voor mijn kop slaan, want nee, ik ging natuurlijk geen antidepressiva nemen, ik wilde niks verdoven, ik wilde de pijn in de gaten houden, en bovendien: terug naar de pillen? Mijn keel zag me aankomen – maar hoe stom was het dat ik niet eerder aan haar had gedacht. Aan degene met wie ik wél kon gaan praten. Aan Isabel.

Afspraak Isabel maken, schreef ik. Maar zo makkelijk was dat nog niet. Ze was op cursus en op vakantie, het zou nog zeker een paar weken duren voor ik bij haar terecht kon. Er was een vervangster, stond er in de mail van het ziekenhuis. Ik antwoordde: ik wacht wel tot Isabel terug is.

De dagen erna dacht ik aan wat er nog meer op mijn lijstje hoorde. Ik moest experimenteren en uitproberen, dat deden oncologen ook. Ik moest een pakket van maatregelen bedenken, een cocktail van oplossingen, dat leek me slim. Als bij een samengestelde chemokuur.

Geloven. Ooit, toen God in mijn droom naar voren was gestapt en had gezegd: 'Ik ben degene die beslist over leven en dood,' besloot ik om nog niet te gaan geloven. Dat leek me zwak: ziek zijn en dan opeens de handjes vouwen.

Maar nu ik genezen was had ik misschien betere papieren.

'God,' zou ik zeggen, als hij zichzelf weer in een visioen naar me toe transporteerde, 'ik heb geprobeerd om tijdens het hele kankertoernooi sterk te blijven. En nu de uitslagen goed zijn en ik dus geen zeldzame wonderen meer van u nodig heb, hoop ik dat u nog eens met me om de tafel wilt.' En als God dat toeliet, en als hij sowieso bestond, en als hij ook nog eens her en der over de dingen besliste, dan kon hij me misschien helpen om die knoeiboel in mijn hoofd een beetje op te ruimen.

Dus 's avonds, voor ik ging slapen, begon ik tegen hem te praten.

'God,' fluisterde ik dan, 'het zou fijn zijn als morgen mijn hele familie nog leefde, en al mijn vrienden ook. En dat ze gelukkig zijn, dat zou ik ook waarderen. God, ik snap u niet, maar als het even meezit snapt u mij wel. Dus morgen liever geen angsten, God. Ik weet wel dat ik niet zoveel te eisen heb, maar ik leg mijn vraag gewoon voor u neer, ik zie wel of u ernaar kijken wilt.

Morgen liever geen angsten, God. Oké dat had ik al gezegd. Amen.'

Buzz en Lappentijger. Ik viste mijn knuffels uit de kast en legde ze weer in mijn bed. Ik wist nog hoe ze uit hun knoopogen keken. Misschien hadden ze een restje troost voor me bewaard.

Een vriendin. Zo'n meisje dat alles begrijpt. Dat naar je luistert. Dat je berichtjes stuurt, zonder dat ze weet dat je ze net op dat moment nodig had. Dat alles voor je oplost met haar lach, en vooruit, ook met haar lichaam.

Ja, dat zou leuk zijn.

Maar ook retegemeen.

De verpleegsters in het ziekenhuis waren geen chickies, maar een chickie hoort ook geen verpleegster te zijn. Als er ooit een vaste vriendin zou komen, dan had ze recht op Max de kampioen, niet op Max, het probleemgeval van het peloton.

Wijsheid. Ik ontdekte iets waanzinnigs: als ik angstig was, als ik trilde, als mijn hart uit zijn luidsprekers bonsde, dan werd ik rustiger als ik de spreuken overschreef. De spreuken uit het spreukenboekje dat ik van de vrouw van de elftalleider had gekregen. Ik zette ze over naar mijn Liverpool-boekje, en ik weet dat je me een wacko vindt.

Ik was ook een wacko.

Maar het is niet de bedoeling dat ik in dit verhaal alleen maar de held ben. Het is belangrijk om echt te zijn. Om jullie alles te vertellen, dus dit vertel ik ook.

Ik kopieerde de spreuken, woord voor woord, en ze kalmeerden me dus.

Mensen hebben mensen nodig.

Vreemdelingen zijn vrienden die het juiste moment afwachten.

Iedereen die denkt dat niets twee kanten heeft staat waarschijnlijk alleen.

Alleen met liefde kan iets groeien.

Beoordeel mensen niet op basis van hun familie.

Kijk hoe ver je al bent gekomen, niet hoe ver je nog hebt te gaan.

Negatieve gedachten zijn verspilling van kostbare energie.

Wees niet bang voor tegenstand – je zult versteld staan van wat je kunt bereiken.

Elk moment van het leven draagt het zaad van geluk in zich.

Angst komt altijd voort uit onwetendheid.

—

De halve finale van het Europees Kampioenschap, die tussen Spanje en Portugal, liep uit op verlenging, en daarna op penalty's. Maar de ochtend erna moest ik heel vroeg naar het ziekenhuis voor een nieuwe controle. Ik had me aan al mijn bij elkaar gesprokkelde hulplijnen vastgehouden, maar ze hadden niet helemaal gewerkt. Ik had steken in mijn borst gevoeld, en ook in mijn zij.

En mijn gedachten dribbelden de hele tijd om die steken heen: had ik ze omdat ik dacht dat ik ze ging hebben, of had ik ze echt, en deed mijn denken er niet toe – het oude verhaal.

Slapen zou handig zijn.

Maar penalty's zijn spannend, en spannend is goed, en dus bleef ik kijken. Spanje won, Fàbregas scoorde de winnende. Daarna ging ik eindelijk naar boven en zelfs toen lag ik, voor ik in een soort coma gleed, eerst nog als een neuroot pijntjes te checken, scenario's te bedenken voor als het nieuws morgen slecht zou zijn, en te bidden.

Om kwart over zeven schrok ik wakker. Ik dacht dat ik te laat was, sprong uit bed, zocht naar de mail van het ziekenhuis en dacht toen: oei.

'Pa!' riep ik naar beneden, 'ik heb me in de tijd vergist, we hoeven er pas een uur later te zijn.'

'Dat meen je niet!' riep mijn vader geïrriteerd vanuit de gang. 'Hoe laat zijn we dan terug?'

'Weet ik niet,' zei ik. 'Begin van de middag?'

'Begin van de middag! Dan moet ik...'

Hij moest zijn werk verzetten, dat begreep ik wel. En dat hij daar niet blij mee was, begreep ik ook. Ik sloeg het ontbijt maar even over en bleef liever nog een uurtje op mijn kamer, Fifa'en. Ik had behoefte aan Ierland, een zwakker team, een team dat iets te bevechten had.

Normaal gesproken – vorige week nog, toen de scan gemaakt moest worden – zat ik achterin, zetten we Slam FM op en zeiden niets, maar nu ruimde mijn vader de bijrijdersstoel leeg en begon hij over de zomervakantie. Misschien was het zijn manier om de zenuwen te bedwingen, maar ik kon me niet op zijn plannen concentreren. Ik maakte me zorgen over de uitslag en over wat ik met de dokter wilde bespreken. Ik knikte zo'n beetje, en luisterde maar half, ik keek naar alles wat bij deze vaste route hoorde: het eenzame huisje aan de snelweg, de ingang van Drievliet, de billboards van de dierentuin. Ik werd er nog altijd niet vrolijk van.

De oncoloog kwam naar ons toe. Gaf mijn vader een hand, gaf mij een hand. Hij lachte en zei tegen me: 'De halve finale gezien? Daar moeten we het zo nog even over hebben.' Daarna gebaarde hij naar de spreekkamer.

Mijn vader stond op en nu moest ik echt zeggen wat ik had bedacht, dat kon niet anders. 'Pa,' zei ik, 'dit keer ga ik alleen naar binnen.'

Mijn vader keek me aan, zei: 'O, eh... goed.'

En ging weer zitten.

'Ik zie je zo,' zei ik, en ik schaamde me, al weet ik niet precies waarvoor.

'Max,' zei de oncoloog. 'Alles goed?'

'Ja,' zei ik, 'nou ja... Hoe was de scan?'

'Niks aan de hand, Max,' lachte de dokter. 'De boel is lekker schoon.'

Zoals altijd hielden opeens alle pijntjes op. De zon smeet extra licht door de kamer en de harde stoel waar ik op zat kreeg een zitting van schuimrubber, kreeg kussens, wieltjes, heerlijk.

'Mooi,' zei ik.

'Jazeker,' vroeg de oncoloog. 'Maar Max, hoe gaat het op het mentale vlak?'

Hij wist van mijn depressie, natuurlijk. Het stond in mijn dossier, de huisarts had het doorgegeven. Maar ik was blij dat hij ernaar vroeg. Ik zat hier niet zomaar voor het eerst zonder mijn vader.

'Ja,' zei ik, 'daar wilde ik het eens over hebben.'

—

Het duurde alles bij elkaar niet langer dan twintig minuten, en we spraken ook nog over het EK, maar toen ik naar buiten kwam hoorde ik in mijn hoofd steeds maar het woord 'veilig'. 'Je bent veilig,' had de oncoloog gezegd, 'zelfs als de kanker terugkomt, zijn we er op tijd bij.'

'En verder,' zei hij, 'zien we wat jij nu hebt, de angst achteraf, bij veel jongeren die deze ziekte krijgen. Jullie gooien jezelf vol in de strijd en hebben nauwelijks de gelegenheid, of de ervaring, om na te denken over wat er met je gebeurt. Jullie slaan eigenlijk een fase over: de fase waarin je bang bent voor de dood.'

Ik luisterde en ik dacht: dat klopt.

Ik ga dood – dat heb ik tijdens de kanker eigenlijk nooit gedacht, niet echt. Dat kwam pas een jaar later, bij de hyperventilatie. Dat ik het nu dacht, was dus een vertraagde gedachte. Het was de angst die er toen had moeten zijn, maar nu pas tevoorschijn plopte.

Ik was niet gek. Ik was láát.

'En?' vroeg mijn vader, die braaf had zitten wachten.

'Prima,' zei ik. 'Niks te zien.'

'Hé!' zei mijn vader, 'top!' Hij kwam overeind en sloeg me op mijn schouder.

'Pa,' zei ik, 'bel jij mam? Dan haal ik even een donut. Ik verrek van de honger. Wil jij ook?'

'Echt?' zei hij. 'Kunnen we niet gewoon thuis eten, straks?'

'Dat duurt te lang,' zei ik. 'Ik heb nog een afspraak.'

'Wat?' zei mijn vader. Zijn wenkbrauwen schoten omhoog, en meteen erna fronste hij ze.

'Pa,' begon ik, en ik voelde me schuldig dat ik het hem niet eerder had gezegd, 'ik zei toch dat we pas aan het begin van de middag terug zouden zijn?'

'Ja, maar ik dacht... Waar moet je dan naartoe?'

'Naar Isabel,' zei ik.

'Die psychologe? Hoezo? Alles is toch goed?'

'Pa,' zei ik, 'wil je nou een donut of niet?'

—

Ik klopte.

Ze zat al klaar.

'Max!' riep ze. 'Kom eens hier!'

Ze stond op, ik liep naar haar toe, en ik kreeg niet

alleen een hand, maar ook een knuffel.

'Wil je wat drinken?' vroeg ze.

'Nee, het gaat wel,' zei ik.

'Max, Max,' zei ze, en ze pakte haar aantekeningenblok, 'het is goed om elkaar weer te zien.'

'Ja,' zei ik. 'Hoe is het met jou?'

'Prima,' lachte ze, 'maar ik wil dat je me alles vertelt. Leven na kanker is hard werken.'

Hard werken. Ik was zo opgelucht dat ze dat zei.

'Ik hou van hard werken,' zei ik, 'maar ik ben niet zo tevreden over de arbeidsvoorwaarden.'

'Vertel,' zei ze, en ik vertelde alles. Hyperventilatie, trillen, onzekerheid, de wachtrij voor de Efteling, mijn broertjes, mijn vrienden, mijn ouders, bidden, schrammetjes, dood.

Ze luisterde en luisterde en luisterde, en ik kon alles zeggen wat ik dacht, ze vond niets van wat ik zei gek, welnee, ze vond het logisch.

'Dat is het,' zei ik na twintig minuten ratelen.

'Oké,' zei ze.

Ze schreef iets op.

En toen zei ze: 'Iedereen is bang, Max. De een meer dan de ander. En jij houdt van het leven, je houdt van je ouders, je houdt van je broertjes, je houdt van uitgaan en praten en lol maken en werken en voetballen en op de bank hangen met je vrienden en bijna was je dat allemaal kwijtgeraakt.'

'Nou ja,' zei ik, 'maar dat was vorig jaar. Het gaat er juist om dat ik nu...'

‘En als je ernaar teruggaat?’

‘Wat?’ zei ik.

‘Als je denkt aan je chemoperiode, of als je mensen ziet die op dit moment ziek zijn, wat gebeurt er dan met je?’

‘Daar wil ik niet aan denken,’ zei ik.

‘Want dan word je bang,’ zei ze.

‘Ja,’ zei ik, ‘dan krijg ik mijn tweede ziekte.’

‘En wat nu als je er wel aan terug kunt denken? Als je het onder ogen kunt zien zonder te denken dat je opnieuw ziek zou kunnen worden? Dat je naar patiëntjes kunt kijken zonder meteen zelf weer die jongen te zijn die net gehoord heeft dat hij kanker heeft? Dat je grieperig kunt worden zonder te denken dat er een nieuwe tumor is?’

‘Dat...’ zei ik, ‘dat zou ik het liefste willen. Maar het zit aan me vast. Ik denk dat dat altijd blijft.’

‘Misschien,’ zei Isabel. Ze kneep haar ogen een beetje toe. Dat vond ik altijd leuk om te zien, dan straalde er opeens iets goudkleurigs van haar gezicht.

‘Misschien,’ zei ze nog een keer. ‘Maar ik denk het niet. Er zijn wat dingen die we zouden kunnen proberen. Oefeningen.’

‘Wat voor oefeningen?’ vroeg ik.

‘We gaan terug,’ zei Isabel, ‘terug naar de engste gedeeltes. En we veranderen ze. We spoelen de angst ervan af.’

—

Wat er gebeurde was niets geheimzinnigs, maar helemaal begrijpen deed ik het ook niet. Het kwam erop neer dat ik een van mijn naarste herinneringen opnieuw aan haar moest vertellen. Maar terwijl ik praatte en het weer voor me zag leidde Isabel me af door met drie vingers ritmisch op een van mijn knieën te tikken. *Tik tik* links, *tik tik* rechts.

Ik koos voor het moment na het gesprek met de dokter. Het gesprek waarin we hoorden dat het kanker was. Ik begon het aarzelend terug te halen. Ik liep weer weg, over de stoep, huilend, met mijn moeder naast me en mijn vader voor me, een stoet klotestudenten kwam ons klotetegemoet. En langzamerhand, terwijl ik doorpraatte (*tik tik, tik tik*), en er steeds weer aan terugdacht, werd het minder erg.

Het was alsof we mijn ellende aan het schoonwassen waren. Alsof we de gebeurtenis kalmeerden. Alsof er andere herinneringen door die klotestudenten heen begonnen te schemeren, alsof die andere, betere herinneringen hun plaats innamen op de stoep. Misschien waren het geen klotestudenten. Misschien waren het bloedmooie handbalmeisjes.

'Wow,' zei ik, 'zit je me misschien te hypnotiseren?'

'Nee, nee,' zei Isabel, 'het is gewoon een van de manieren om een trauma te verwerken.' Ze vertelde dat ze erin getraind was. En dat het een officiële naam had. Een naam die ik vergeten ben.

Toen we klaar waren was ik kapotmoe. En het was

heus niet zo dat ik de rest van de dag als een regenboogje rondliep, maar mijn hoofd was wel een stuk rustiger.

Ongelooflijk eigenlijk – en verrek, toch was het zo.

Ik ben de naam van die oefeningen natuurlijk helemaal niet vergeten, maar het leek me zo saai voor jou om te lezen. Therapeutengedoe, snap je. Ik vind dat woord 'trauma' hierboven al behoorlijk op het randje.

Voor een auto zou het wel een mooie naam zijn trouwens. *De nieuwe Nissan Trauma. Vierdeurs.*

Oké, als je het echt wilt weten: het heet E.M.D.R. *Eye Movement Desensitization and Reprocessing.*

Zou een mooie naam voor een shampoo zijn. *Desensitization and Reprocessing Daily Glow. Voor beschadigd haar.*

Op de terugweg, in de auto, vroeg mijn vader niets.

En ik vertelde niets.

Hij floot een beetje, ik kletste een beetje.

Hij zette me af bij school, en na schooltijd ging ik naar het veldje. Het was een zonnige dag.

Ik voetbalde tot een uur of vijf, daarna zoefde ik naar huis, want om half zes moest ik op mijn werk zijn, en het mooie was: ik dacht nergens meer aan.

Het huisje in het vakantiepark dat we via de Stichting Gaandeweg hadden mogen gebruiken, was zo goed bevallen dat mijn ouders er zelf ook een weekje hadden geboekt. Leuk, zou je zeggen, en dat moest het ook worden, iedereen verheugde zich erop.

Behalve ik. Het ging al een tijdje behoorlijk goed met me. Ik voelde me bijna weer Messi. En toen kreeg ik een kolossale terugval.

De dag voor we vertrokken sloot ik me op in mijn kamer. Ik zag, zomaar uit het niets, als een berg tegen de vakantie op. Wat als het daar weer mis zou gaan? Ik had hoofdpijn, en ik kon mijn hart niet in bedwang houden.

Ik probeerde al mijn hulplijnen. Ik dacht aan het gesprek bij Isabel. Ik zei hardop tegen mezelf dat ik veilig was. Ik zocht op internet naar nieuwe spreuken. Het hielp allemaal niet.

Ik had een tijdje terug van mijn oma een pocketbijbeltje geleend en ik keek achterin, in het register, waar de troostteksten stonden. *Bent u angstig? Lees Lucas 12: 22-26.*

Maar ook dat werkte niet.

Die middag was de vijand sterker en gemener en groter dan ik.

Ik deed het rolgordijn naar beneden, drukte mijn hoofdkussen tegen mijn mond en schreeuwde. 'Kom op nou, Max!' riep ik. 'Kap er nou eens mee!'

Misschien was het niet eens zozeer de tweede ziekte die me nekte, het was het feit dat ik de tweede ziekte over mezelf afgeroepen had. Ik werd kwaad, en raar, en daarna nog kwader, omdat ik raar werd, en daar werd ik weer raarder van. Het was bijna alsof ik mijn vader gelijk gaf, en dus probeerde ik de gekte die zich tussen mijn oren ophield, weg te slaan. Ik mepte tegen mijn hoofd. Links, rechts, weer links. Ik danste midden in de kamer om mezelf heen en probeerde de waanzin in mijn hoofd kapot te boksen. Ik riep: 'Kom op nou, Max! Kom op nou, Max!'

Uiteindelijk was ik zo moe dat ik op mijn bed neerplofte. Zo erg was het nog nooit geweest. Ik dacht: een jongen van bijna achttien die gek wordt. Dat kan toch niet? Ik ben niet gek, ik wil niet gek zijn.

Ik sprong weer overeind, rende naar de douche, stak mijn hoofd onder de kraan, en toen ik terug op mijn kamer was, bedaarde ik een beetje.

Ik ging op de grond zitten, met mijn rug tegen de zijkant van het bed, en ik zuchtte een paar keer zo diep als ik kon. Na een tijdje voelde ik hoe mijn schouders zich ontspanden en hoe mijn hart eindelijk in een hoekje van zijn kooi ging liggen dommelen.

Nog weer wat later stond ik op en startte de computer.

Kelvin was online op Facebook.

Zodra hij me zag typte hij: *Bobbyyyy*.

Ik typte terug: *Yo*.

Hij schreef: *Hoe ist?*

Ik aarzelde even, en toen zei ik: *Wil je het echt weten?*

Op de plek van Kelvins tekstballonnetje verscheen een paar keer achter elkaar een typ-teken. Alsof Kelvin nadacht. Nog eens nadacht. En toen toch maar antwoordde:

Natuurlijk.

Oké dan, schreef ik. *Hou je vast.*

Ik stelde me voor hoe hij aan de andere kant van deze Facebookchat naar zijn laptop zat te staren. Ik vond het zwak van mezelf dat ik de code doorbroken had – de code van 'Met mij gaat het goed, ik ben Bobby, ik heb nergens last van'. En hij zou me nu wel afschrijven als gezonde voetbalmakker. Maar Kelvin was er nu eenmaal en ik was er ook, en hij vluchtte niet weg. Sterker nog: hij reageerde niet eens zo geschrokken. Eerder verrast.

Dat wist ik niet, Bob, schreef hij. *Nou snap ik al die smoesjes. Dat je niet kon komen trainen. Sorry dat ik een keer zei dat je het team in de steek liet.*

Is goed, zei ik.

En daarna typte hij: *Je kunt op me rekenen. En ook op de anderen.*

Top, schreef ik.

Wist je, schreef hij, *dat ik vorig jaar ook een paar keer bloed heb laten prikken?*

Nee, waarom, typte ik.

O, wacht, typte ik, *het Bobby-syndroom. Net als Ward.*

En Bart, schreef Kelvin. *We hebben ons allemaal laten onderzoeken.*

Woho, schreef ik. *Dat wist ik niet.*

Precies, typte hij. *Trouwens, Bob. Gaan we aan het eind van de zomer met z'n vieren weg? Ik heb even zitten kijken, maar als we Griekenland boeken, Cherso, weet je wel, dan is het goed te doen. En massa's meiden daar. Jij moet echt wat vaker plat, Bob, dat helpt.*

Ha ha, schreef ik.

Bobby? Typte hij.

Ja?

Je kunt dus op me rekenen.

—

Ik bleef er de hele avond over nadenken. Helemaal gerust was ik niet. Hoe zou het de volgende keer zijn als ik hem en de anderen zou zien? Lol en leuk, dat was wat ons verbond. Hij zou het met Bart en Ward bespreken, en konden we dan nog wel normaal doen, met z'n vieren?

Dat soort getob.

Maar ik schreeuwde in elk geval niet meer in mijn kussen.

En de dag erna ging ik gewoon mee naar het vakantiepark.

En tijdens de vakantie had ik nergens last van.

Nergens.

—

Kelvin kwam nauwelijks terug op onze chat. Heel af en toe vroeg hij: 'Bob, hoe is het nou?' En dan zei ik: 'Goed.'

Tussen mijn ouders en mij veranderde er ook niet veel, en Buzz en Lappentijger lagen allang weer mopperend in de kast.

Maar weet je wat het was?

Ik had af en toe opeens weer dat vertrouwde vechtgevoel. De opgestroopte mouwen en de energie in mijn spieren.

Als ik dronken was had ik het, soms.

Als de jongens bij alles wat maar een beetje verkeerd rook begonnen te schreeuwen: 'Dit is niks, Bobby's chemoscheten waren veel erger.'

Ik had het toen Kelvin begon te zoenen met Meisje 4 – hetzelfde meisje dat tijdens de kuren op me had gewacht, hetzelfde meisje dat ze me opgedrongen hadden, 'Ja, Bob, je had haar nog iets beloofd,' het meisje dat ik voor de vorm had gezoend, omdat het niet anders kon, het meisje dat ik daarna schandelijk had laten staan. En nu, nu tongde Kelvin met haar en toen ik het zag kon ik het hele weekend niet ophouden met grijnzen.

Ik had het tijdens het voetballen, toen ik voor het eerst in jaren weer eens een doelpunt maakte. 'Eindelijk, Bobby,' zei de nieuwe elftalleider na afloop, 'het hele team is al vijf wedstrijden bezig om jou te laten scoren.'

Ik had het toen Bart tijdens het zwemmen uitlegde

waarom het meisje waar hij nu verliefd op was écht de mooiste en de beste zou blijven, en dat we riepen: 'Daar ga je weer, Bart, leve de obsessie,' en dat hij zuchtte en zei: 'Ik weet het gasten, ik wéét het toch.'

Ik had het toen we in de tuin zaten en we het met de hele familie kregen over hoe mijn gedrag veranderd was door de Prednison, en mijn moeder zei dat ze in die tijd de keukenmessen verstopte. 'Wááát?' riep ik. 'Ja echt,' zei mijn moeder, 'je was zo opgefokt. Ik dacht: je kunt niet weten wat hij doet.' 'Nou já,' zei ik, maar mijn oma's begonnen me te verdedigen en mijn vader lachte mijn moeder uit, en ineens ging ik op haar schoot zitten. Ik weet niet waarom ik het deed. Het was op mijn verjaardag, ik was achttien en ik plantte mijn kont op haar knieën.

Ik had het toen Sam en Lennart me opeens vroegen of ik naar hun tennistoernooi kwam.

Ik kreeg voorzichtig de strijdhouding terug die ik nodig had bij mijn tweede kampioenschap, het angstkampioenschap voor junioren, wat een krankzinnige combinatie van wedstrijden bleek te zijn, zonder regels, zonder voorspelbaar verloop.

Het vertrouwen in de overwinning had ik nog niet.

Maar af en toe had ik wel het vertrouwen dat ik dat vertrouwen zou krijgen.

—

'Je bent óver,' zeiden de leraren als ik ze in de gang tegenkwam, en ze klonken verrast, maar vooral tevreden.

In het voorjaar had ik me veel minder op het schoolwerk kunnen concentreren, en al mijn planingslijstjes raakten achterhaald. Mijn mentor maakte zich zorgen, maar door een aanval van serieuze studiedrift tijdens de proefwerkweek in juni trok ik mijn cijfers op.

'Goed hoor,' zeiden ze. 'Op naar het laatste jaar.'

En dan kwam altijd de vraag die iedereen van boven de veertig stelt aan iedereen die rond de achttien is: 'Weet je al wat je wil worden?'

Meestal zei ik: 'Nee, nog geen idee.'

'Komt wel goed,' lachten zij dan.

En ik zei: 'Absoluut.'

In de zomer dacht ik er niet teveel over na, maar toen begonnen mijn ouders en oma's en opa's en tantes en ooms en dorpsgenoten en mijn rij-instructeur, en zelfs de kapper, het me ook allemaal te vragen, want zij waren stuk voor stuk boven de veertig en ik was dus inmiddels achttien geworden: 'Max, weet je al wat je...'

'Nee, nog niet.'

'Komt goed.'

'Absoluut.'

Dat 'nee, nog niet' was alleen niet helemaal waar. Want elke keer als ik een controle had gebeurde er iets. Ik liep door de gangen van de kinderafdeling van het ziekenhuis en ik lachte naar Chemo-Kasper en inmiddels lachte ik ook naar Winnie de fokking Poeh, en ik dacht elke keer: met mijn verhaal zou ik eigenlijk...

En op het moment dat Isabel me, voordat we aan een nieuwe tik-oefening begonnen, met mijn verjaardag feliciteerde, en tegen me zei: 'Achttien, Max. Wat een leeftijd... Heb je al...', wist ik het zeker.

Ik wachtte het einde van haar vraag niet eens af. Ik grijnsde en zei: 'Oncoloog. Dat wil ik worden. Op de kinderafdeling.'

Die avond vertelde ik aan mijn ouders dat ik geneeskunde wilde studeren. Even later noteerde ik het op mijn kamer in mijn Liverpool-schrift.

Misschien is het raar, schreef ik, *dat ik de ziekte weer op wil zoeken. Maar ik denk dat het is zoals bij voetbal: winnen met 16-0 is niet interessant. Je hebt een sterke tegenstander nodig. Ik wil op het eind van mijn leven in elk geval niet het idee hebben dat het allemaal makkelijk was.*

Vroeger dacht ik: geef mij maar een zak met euro's en een vrouw die weinig vragen stelt. Maar toen kwam de kanker, die met zijn bokshandschoenen tegenover me kwam staan en zei: 'Kom op.'

En ik ging niet liggen.

Door niet toe te geven heb ik mijn tweede ziekte in het leven geroepen, dat begrijp ik heus wel. Maar angst is ook een stevige tegenstander.

Dus als ik uitgeloot word voor geneeskunde ga ik in het leger.

Ik wil wel uitgezonden worden. Ik zie mezelf al aan het vizier van een tank, tussen twee mijnenvelden, in Mali of Afghanistan.

En dan kom ik thuis en dan word ik bang, ik verlies het vertrouwen in de mensen en denk dat overal een bom ligt. Zo zal dat dan gaan. In oorlogsgebieden rondrijden met een pokerface, thuis een nieuwe tweede ziekte oplopen, echt iets voor mij.

Ik snap niet goed waarom ik nieuwsgierig ben naar die angst, naar die superangst. Misschien ben ik verslaafd aan spanning. Misschien ben ik verslaafd aan zelfmedelijden.

Hm.

Misschien is het maar beter als ik aangenomen word bij de universiteit.

Hoe dan ook: ik denk dat ik het mezelf nog moeilijk ga maken.

—

Het liep tegen het einde van de zomervakantie en ik moest echt eens wat minder gaan drinken. Ik zei op een van die zaterdagavonden, half augustus, weer eens wat ik altijd zei, als we in de club waren: 'Ik ben mijn jaar zonder alcohol aan het inhalen.'

Bart vroeg: 'Dat jaar is toch allang voorbij?'

Ik vroeg: 'Ga je hier serieus aan wiskunde staan doen?'

Van wat er daarna gebeurde ben ik hele stukken kwijt, ik herinner me alleen nog dat Ward midden op de dansvloer ging zitten.

'Wat doe je?' riep ik.

Hij schreeuwde: 'Scootersleutels zoeken!'

Die nacht kwam ik om vier uur thuis.

Ik stommelde zo stil mogelijk naar mijn kamer, stortte neer op mijn bed en sliep meteen.

Maar een paar uur later werd ik alweer wakker.

Ik was vergeten mijn rolgordijn helemaal dicht te doen en nu stroomde er vroege zon over me heen.

Ik ging overeind zitten.

Ik was niet dronken meer en ook niet moe, en dat kwam allemaal omdat ik me, half slapend, half wakker, iets enorms had gerealiseerd. *Volgens mij ben ik al een paar weken niet meer bang geweest.* Ik ging het bij mezelf na en echt, de laatste keer was – ja, wanneer had ik voor het laatst niet geweten hoe ik moest ademen? Ik hield mijn hand voor me uit. Die trilde niet. Ik legde diezelfde hand op mijn hart. Dat protesteerde niet.

En toen, op dat moment, leek het net alsof de helft van het ochtendlicht door mijn huid naar binnen was gevloeid en nu vanbinnen lag te stralen.

Ik wilde muziek opzetten. Ik wilde een eenpersoonsfeestje aanrichten, ter plekke, in mijn kamer, ik stapte mijn bed al uit.

Maar mijn ouders en mijn broertjes sliepen nog.

Ik liep naar de gang.

Het was over.

Misschien zou het terugkomen, want je weet maar nooit met sterke tegenstanders, maar voorlopig was het voorbij.

Ik stond te bedenken of ik naar beneden zou gaan, en een tosti zou maken, met extra kaas en extra ham en ook tomaten en ananas en kipfilet en ketchup en currysaus, een tosti alles, om het te vieren. Maar toen zag ik het pistooltje liggen. Op de vloer van de slaapkamer van Sam en Lennart, hun deur stond halfopen.

Ik duwde hem wat verder open.

Hun tweelingademhaling hoorde ik nu in stereo, de ene helft van links, de andere van rechts.

Ik pakte het pistooltje op. Ooit hadden ze me er een oogschudding mee bezorgd. Ik wist niet eens dat ze dat ding nog hadden. Misschien hadden ze het naar elkaars hoofd gegooid, de balletjes zijn al jaren zoek.

Ik kwam bijna nooit op hun kamer. Ik keek rond. Overal gamehoesjes, dvd's, boeken. Na de zomer gingen ze allebei naar de middelbare school. Hun tennisrackets lagen gekruist op de grond.

Het was over.

Ik sprak ze zo weinig.

Ze wisten niet wat ze moesten toen ik mijn eerste ziekte kreeg, en van de tweede ziekte waren ze niet op de hoogte. En dat was maar goed ook. Zelf moesten ze hun kansen nog krijgen, en ook hun problemen.

Daar lagen ze.

Terwijl ik naar ze keek droeg ik nog steeds het ochtendlicht in me mee, maar het verduisterde een paar tinten, omdat ik dat niet wilde, ik wilde niet dat hen iets overkwam. En toch zou het gebeuren. Ook zij hadden waarschijnlijk een paar kampioenschappen voor de boeg.

Ik liep wat verder de kamer in.

Sam had het laken tot zijn kin opgetrokken, Lennart lag bijna bloot.

Opeens dacht ik: voor hen zou ik doodgaan. Als het nodig was.

Ja, voor hen zou ik dat doen.

Ik snapte niet waarom ik dat zo plotseling voelde, en ik snapte niet waarom ik dat voelde voor uitgerekend de twee familieleden waar ik het minst mee gesproken had, de laatste tweeënhalf jaar.

Maar het was waar. En ik wilde iets voor ze doen. Ik wilde een grote broer voor ze zijn. Ze moesten weten dat ze, als het nodig was, met me konden praten. Dat ik dan vragen zou stellen, dat ik hun hele verhaal wilde weten, hoe klein of zielig het ook was, hoe bang ze er ook van werden.

Als ik dit Sam en Lennart straks bij de Cruesli zou zeggen, zouden ze wegduiken achter een boek of achter hun Nintendo.

Maar ze konden het lezen.

Ooit.

Als ik mijn eigen bizarre, lachwekkende, beschamende, angstige geschiedenis aan mezelf had verteld en aan iedereen voor wie het iets goeds kon doen.

En dus sloop ik terug naar mijn kamer. Ik gooide het pistool op mijn bed. Ik trok mijn rolgordijn verder omhoog, zodat er nog meer licht naar binnen kwam, nog meer helderheid. Ik ging aan mijn bureau zitten, pakte een pen, sloeg mijn Liverpool-schrift open en schreef:

Ik vertel het hele verhaal, ik vertel alles wat er gebeurd is Ik weet nu dat dat belangrijk is, want je brengt er je tegenstander mee in kaart. En dan?

Dan pak je zijn wapens af.

Einde.

Nou ja, het werken in dat schrift hield ik maar twee dagen vol. Ik ben geen lezer, dus ik ben zeker geen schrijver. Bovendien was het zomer, en Bart, Ward en Kelvin wilden echt naar Cherso, en ik bood aan om het te boeken.

Maar 's avonds laat sprak ik mijn verhaal in op de recorder van mijn telefoon. Mijn moeder hoorde me wel eens praten. Ze vroeg een keer: 'Wat ben je toch aan het doen?' En ik zei: 'Jouw seksgeheimen aan het onthullen, mam. Het wordt ranzig.'

Als er nog restjes tweede ziekte waren, dan vertelde ik ze van me af. Zoals je gif uit je lijf krijgt door te zweten, te plassen, of desnoods te kotsen.

Dus dank je wel, wie je ook bent, voor het aanhoren van mijn zweet en kots.

Ik vind het ongelooflijk dat je het hebt volgehouden.

Weet je wat?

Je verdient een beloning.

Je mag kiezen: porno (a) of romantiek (b).

Allebei echt gebeurd. Voor de een moeten we terug in de tijd, nog vóór de chemokuren begonnen. Voor het andere verhuizen we naar Griekenland.

Ik zeg intussen vast wat ik al eerder zei (maar nu is het echt):

ciao.

a) PORNO

Voordat mijn allereerste chemo begon, namen we in het ziekenhuis mijn behandelplan door. Op een gegeven moment dacht ik dat we klaar waren, maar toen kwam het. De dokter schraapte zijn keel en zei: 'Tja. En dan moeten we hier ook nog aan denken...'

Ongemakkelijke stilte.

'De kuren tasten je zaadcellen aan.'

Ongemakkelijke stilte.

'Dus mocht je later kinderen willen, dan kunnen we er nu wat invriezen.'

Ongemakkelijke stilte.

'Ik weet dat je nog erg jong bent, maar de vraag is: wil je dat?'

Ongemakkelijke stilte.

Links zat mijn vader, rechts zat mijn moeder, en ik keek alleen maar recht voor me uit. Dokter, dacht ik, had je mijn ouders niet even de gang op kunnen sturen? Dan had ik het er graag uitgebreid met je over gehad.

Maar natuurlijk zei ik ja.

Dus toen werd het ingepland.

Wat?

Het.

Na alle andere onderzoeken moest het gebeuren. In een apart gebouwtje. Ik liep ernaartoe, met mijn ouders naast me, en ik dacht: *fokking hell, dit is bizar.*

Een lange gang, kamertjes, een balie, een wachtkamer die vol zat met mannen die hun ding kwamen doen.

'Wij hebben een afspraak.'

'Neemt u plaats.'

Ik zat daar en overwoog serieus om gewoon weg te lopen. Maar ik zat al in de achtbaan, en we hadden al gehuild met z'n allen en gevloekt en gezwegen, dus dit kon er ook nog wel bij.

Er kwam een zuster naar me toe. Ze gaf me een bruin potje met een wit dekseltje. Gelukkig was het niet doorzichtig, want dan had ik het naar haar kop gesmeten. Ze zei: 'Wanneer je klaar bent geef je het bij dat luikje daar af. En nu kun je hier naar binnen.'

Het trekhok was er een van een hele rij. Ik stapte naar binnen, de deur kon gelukkig op slot.

Ze hadden de ruimte kleurrijk aangekleed, ik kan niet anders zeggen. Er stond een luie bank. Er was een televisietoestel, er was een dvd-speler. En op een tafel lagen minstens duizend seksblaadjes.

Maar mijn ouders zaten drie meter verderop, en in de hokjes links en rechts van mij knoopten andere mannen nu hun broeken los.

Dit ging niet lukken.

Ik sloeg een paar tijdschriften open. Er stonden natuurlijk foto's in, maar ook artikelen.

Ik begon een paar van die artikelen te lezen. Dat was niet helemaal de juiste tactiek.

Hou op, dacht ik. Weg met de blaadjes.

Ik zette de televisie aan. Die begon meteen te knipperen, ik viel midden in een film. Was daar verdomme een oma met zichzelf bezig! Met vier gasten om zich heen! Die ook met zichzelf bezig waren!

Ik keek naar mijn kruis en dacht: vriend, op deze manier gaan jij en ik vandaag geen doelpunt maken.

Intussen was er al een kwartier voorbij. Ik deed een nieuw filmpje in de speler – dit keer zag ik alleen maar krullend haar. Op allerlei verschillende lichaamsdelen.

Ik bekeek de hoesjes van de rest van de dvd's. Die stamden allemaal uit de eerste wereldoorlog.

Zo langzamerhand werd ik behoorlijk agressief. Ik deed mijn best, maar mijn kameraad daar beneden, die al brandwonden aan het oplopen was, dacht: flikker op zeg, kunnen we gaan?

Waarom bestond er geen Stichting Lekkere Zusters? Daar had dit ziekenhuis in moeten investeren.

Nee, dit werd niks.

Als ik nu eens een ladinkje zeep inleverde? Er stond zo'n pompje. Dan kon ik tenminste naar huis.

Uiteindelijk ging ik op het bankje zitten en deed mijn ogen dicht. Ik stelde me ik weet niet wie voor en ik deed ik weet niet wat, en na eenentwintig jaar, mijn ouders waren onderwijl in een stel skeletten veranderd, lag er toch een soort kwakje in dat potje.

Ik kwam naar buiten, liep kwaad naar het afgiftepunt, belde kwaad aan en toen het luik openging snauwde ik: 'Hier. Mijn zaad.'

De zuster die het potje aannam lachte – maar mijn ouders lachten niet.

Ze begrepen hoe gênant het was. En vernederend, dat ook. Wij behandelen elkaar thuis heus niet zo zachtzinnig, maar ze zijn er nooit op teruggekomen en mijn vader heeft me er nooit mee gepest. Wanneer hij dat wel had gedaan, had ik hem het raam uit gegooid.

Dat hoefde niet, want als ik hier aan terugdenk, en als ik terugdenk aan alles wat we samen hebben meegemaakt, dan moet ik eerlijk zeggen: *wie denkt dat niets twee kanten heeft, staat waarschijnlijk alleen.* Oftewel: praten is niet mijn vaders sterkste kant, maar soms is juist dat niet-praten zijn sterkste kant.

b) ROMANTIEK

Eind augustus, en de vakantie naar Chersonissos, op Kreta, in Griekenland dus, begon met angst. Vliegangst, om precies te zijn. Mijn vader durfde sinds de aanval op de Twin Towers niet meer te vliegen. En dus was ikzelf ook nog nooit op Schiphol geweest.

Toen we opstegen kneep ik Kelvins vingers kapot. De jongens lagen dubbel, en dat was al de tweede keer die dag, want in de veiligheidsscan was mijn broek afgezakt. Ja, je moest je riem afdoen, en ik heb geen heupen, want ik ben geen meid.

We hadden een midweek geboekt: vier nachten.

Overdag lagen we op handdoekjes aan het zwembad en aten tosti's. Om de kosten te drukken had Bart het tosti-apparaat van huis meegesjouwd, dus ons appartementje stonk van het begin tot het eind naar aangebrand Hollands brood. Hollands, ja. Want we waren in Griekenland, maar ik heb geen Griek gezien. In alle winkels, alle bakkerijen, alle snackbars en ook alle clubs werd Nederlands gesproken. Het kon me niet schelen, ik was vrij, ik was voor de tweede keer genezen.

Op de eerste avond had de reisorganisatie een kroegentocht georganiseerd. Daar hadden we wel zin in. 'Doe maar jullie beste cocktail,' zei ik, elke keer als ik ergens binnenkwam. Best lekker, het doet je denken aan je limonadetijd, en intussen word je dronken.

De nacht eindigde in een discotent waar ze ook aan karaoke deden. Kwam er zo'n Griekse Nederlander midden in de club op mij af. 'Jij gaat zingen!' schreeuwde hij, ik dacht: waarom niet, ik doe het. *Feel this moment* was het, van Christine Aguilera, geloof me: alle aanwezigen hebben het moment behoorlijk ge*feeld*. Aan hun oren.

Ik zal je verder de details van de avond besparen, behalve dit: toen we tegen vieren terug in ons flatje waren, kwamen er een toiletpot, een aanrecht, een pan en een prullenbak aan te pas, want alle cocktails gingen tegelijkertijd retour. Kelvin was er het ergst aan toe, die brulde, daar op de wc. De rest van de vakantie noemden we hem eindelijk geen Urineboy meer, maar Lion King.

De tweede dag deden we rustig aan, en de derde dag ook. We dansten wel, maar niet te veel, we dronken, ook niet meer zoveel, en de jongens pakten hun oude zoencompetitie weer op. Zelf voelde ik op de een of andere manier dat dat voorbij was, voor mij. Idioot doen, graag, met mijn armen zwaaien, prima, maar er was iets veranderd. En alles wat veranderd was kwam samen in één enkel uur tijdens de laatste avond.

We schreven ons in voor een verffeest. Bij binnenkomst kregen we een wit shirt. En zodra de dj goed op gang kwam spoten er stralen met fluorgele, groene en blauwe kleurstof uit kanonnen aan de zijkant van de dansvloer. Ik ging voor iedereen bier halen en voordat ik wegliep kreeg ik van de barman nog een lading oranje over mijn hoofd. Mijn haar en gezicht zaten nu ook onder.

Ik liep langs de anderen met mijn traytje en zei tegen Kelvin: 'Hou mijn pils even vast, ik moet pissen.'

Bij de wc's keek ik voor het eerst sinds lange tijd weer eens goed in de spiegel. Ik zag er niet uit. En voor ik het wist begon ik tegen mezelf te praten. 'Maxje,' zei ik tegen degene die ik tegenover me zag, 'Max,' zei ik, 'moet je nou toch kijken. Nu ben je zelf een zak chemo geworden.'

Ik liep terug naar de dansvloer en zag mijn vrienden feestvieren. Er hingen meisjes om hen heen, ze stonden elk in een andere hoek en ze hadden het te druk voor mij.

Dat gaf niet. Ik begon te bewegen zoals ik eerder in de feesttent tijdens de dorpsdagen had bewogen: alleen en tevreden. Alsof er een bel van muziek om me heen was getrokken.

En ik was gelukkig.

Ik moest dus bij de kleur oranje aan een zak chemo denken. De kanker had zich in mijn leven genesteld, ook al was hij mijn lichaam uitgeschopt. En dat was goed zo.

Hij bracht me hier. In een bel van muziek, met fluorkleuren besmeurd en met mijn vrienden in de buurt. Hij had me overvallen met de tweede ziekte, en samen hadden de schaduwkameraden me de dood laten zien. En nu? Nu was ik niet bang meer.

Ik danste en ik danste en ik keek naar Ward, die een dikke straal blauwe verf over zich heen had gekregen. Naar Kelvin, die met zijn ogen rolde omdat er een grietje aan zijn oorlel sabbelde. En naar Bart die me niet zag staan omdat hij zoende met een roodharig meisje, zijn handen staken in haar kontzak, haar handen in die van hem.

Ik danste verder en ik dacht: ooit komt mijn vijand bij me terug.

Dat was geen nieuwe gedachte, dat wist ik al vanaf de eerste kuur. *Ik ga nu niet dood,* dat wist ik. *Maar als ik tachtig ben, als ik de kanker mijn hele leven lang uit de wereld heb proberen te houden, als ik kinderen heb en kleinkinderen en misschien wel achterkleinkinderen, dan zie ik hem weer.* Dat wist ik ook.

Maar nu pas begreep ik dat die gedachte me op een vreemde manier geruststelde.

Ik deed mijn ogen dicht, midden in die club, midden in het toeristendorp, midden op het Griekse eiland en ik was oranje en rood en blauw en groen en geel en de muziek baste in mijn buik en er gleden bundels met licht over mijn gezicht en iedereen om me heen zong en juichte en ik dacht aan wat ik tegen mijn oude makker zou zeggen als ik hem aan het eind van mijn leven weer zag.

'Hé,' zou ik zeggen, 'daar ben je weer. Kom verder. Dit keer zal ik niet meer met je vechten.'

—

Ik nam een slok van mijn bier, ik lachte om mezelf en daarna raakte ik afgeleid.

Want – want ik zag het meisje.

Ik had haar al een paar avonden gezien. En zij had mij ook al een paar avonden gezien. Dat was alles. We hadden elkaar niet gesproken.

Ze stond met haar vriendinnen in de buurt van de bar. Ze danste niet. En het leek alsof er ook om haar een bel was getrokken. Een bel van kalmte en vriendelijkheid.

Ze dronk cola, er staken twee gele rietjes uit haar glas, de ene verdween tussen haar lippen, de andere glipte steeds los, ze duwde hem met een vinger terug in haar mond.

En ze keek me aan.

Ik hief mijn bierbeker naar haar op. Dat gebaar beantwoordde ze niet, maar ze trok wel een van haar wenkbrauwen omhoog.

Ze was fluorroze en fluorpaars.

Ik was niet meer de jongen die stond te denken over zijn dood als tachtigjarige, en misschien was ik die jongen nog wel, misschien was het precies die jongen naar wie ze lachte, misschien zag ze wie ik zou worden en misschien zag ze ook wie ik was geweest.

'Gast,' zei Kelvin plotseling bij mijn oor. 'Heb je je daarom de hele week ingehouden?'

Ik draaide me naar hem om. 'Wat?' zei ik.

Hij grijnsde. 'Je hebt me wel gehoord,' zei hij. 'We kennen jou, Bobby. We weten alles van jou. Maar zo hebben we je nog nooit gezien.'

Hij wees op Ward en Bart die, elk met vreemde armen onder hun felgekleurde shirts, ook naar mij stonden te grijnzen. En hun duim opstaken.

'Je ziet er verloren uit, Bob,' zei Kelvin. 'Wil je een verliezer zijn?'

Ik keek naar het meisje. Het meisje keek nog steeds naar mij.

Ik zei: 'Eh... ja.'

'Dan wordt het hoog tijd dat je op haar afstapt, gast!' schreeuwde Kelvin.

Althans, ik denk dat hij dat schreeuwde.

Want ik hoorde het niet meer.

Ik was al op weg.

DANK JE WEL
door Edward

Dit boek is geschreven op basis van de vele, vele gesprekken die Roy Looman en ik de afgelopen jaren hebben gevoerd. Om de vrijheid te hebben kleine stukjes verhaal samen te kunnen voegen, om heel af en toe de volgorde van gebeurtenissen een beetje aan te kunnen passen, en om de anderen uit Roys leven (zij die niet met me gepraat hebben) te kunnen beschermen, hebben we in het boek de meeste namen veranderd. Maar Max = Roy en Roy = Max. Vaak heb ik Roys zinnen letterlijk overgenomen, en we kunnen rustig zeggen dat geen enkele scène uit dit boek gefantaseerd is.

Dat Roy met zo veel overtuiging aan dit boek meegewerkt heeft, ligt aan zijn uitzonderlijke persoonlijkheid, zijn wijsheid en zijn enthousiasme. Hij is na zijn ziekte niet voor niets de jongste ambassadeur van Stichting Kinderen Kankervrij (KiKa) geworden. Dat is hij nog altijd, en niet alleen dat: hij is inderdaad geneeskunde gaan studeren. Om ooit oncoloog te worden. Op de kinderafdeling van een groot ziekenhuis.

'Je moet Roy ontmoeten. En daarna moet je een boek over hem schrijven.' Dat zei Bibi Dumon Tak, en Bibi is mijn beste vriendin, dus als zij zoiets zegt, dan luister ik. Ik kan Bibi niet genoeg bedanken, want zonder haar zou ik hier niet tegen Roy kunnen zeggen: Roy, het is ongelooflijk hoe dichtbij je mij, en dus de lezers, liet komen. Zo dapper, zo grappig en ook zo verantwoordelijk als jij zijn er niet veel. O, en ik vond deze spreuk nog in je boekje – is het wat? *Werkelijke wijsheid is te leven in het heden, te plannen voor de toekomst, en te profiteren van het verleden.*

Dank je wel!

DANK JE WEL
door Roy

Als je dit boek mooi vond, sla het dan nog niet dicht. Ik heb jullie een aantal jaar van mijn leven gegeven, nu kunnen jullie iets terug doen, dus neem alsjeblieft de tijd om mijn dankwoord te lezen, want het hoort erbij. Ik ben niet zo goed in schrijven, maar ik ga mijn best doen.

Allereerst wil ik mijn ouders bedanken. Jullie waren voorbeeldige ouders. Ik hoop dat ik net zo'n man als jij mag worden, pa, en ik hoop dat de moeder van mijn kinderen net zo veel om haar kinderen zal geven als jij dat doet, mama. Elke kuur zaten jullie aan mijn bed om mijn pijn te delen, terwijl jullie ook een eigen gevecht aan het voeren waren, een strijd tegen jullie eigen emoties. Ik kan me niet voorstellen hoe het is om een kind in een ziekenhuisbed te hebben liggen en, terwijl je zo veel wilt doen, toch helemaal machteloos te zijn. Ik hoop dat jullie met een trots gevoel dit boek dichtslaan, want dat verdienen jullie. Ik houd van jullie, onthoud dat.

Daarnaast wil ik mijn broertjes bedanken. Ons hele gezin had kanker en daar waren jullie dus ook het slachtoffer van. Jullie nuchterheid heeft me de beste herinneringen aan mijn ziektetijd opgeleverd. Jullie hebben je nooit in negatieve zin laten horen en daarmee hebben jullie mama en papa ook erg geholpen. En dat in een tijd waar de meeste aandacht uitging naar jullie broer. Het zal niet makkelijk voor jullie zijn geweest, maar ik kan me geen betere broertjes voorstellen.

Ook wil ik de rest van mijn familie bedanken. Jullie kregen allemaal een klap, toen jullie hoorden dat jullie kleinzoon of neefje lymfeklierkanker had. Fijn dat jullie er waren en te hulp schoten wanneer ons gezin het nodig had. Ik heb het geluk gehad dat ik met het juiste team aan mijn grootste strijd mocht beginnen.

Brian, Jeroen, Sander, Senzh, Weind, Nick en Niek. Het boek werd te vol, dus heb ik niet de mogelijkheid gehad om onze ervaringen te delen, maar het zou zeker een tweede deel waard zijn. Jullie verdienen het om genoemd te worden, want jullie stonden voor me klaar en wisten me altijd aan het lachen te maken. Ik heb ver moeten kruipen, maar jullie hielpen me staan. Dit is nu een zoetsappig stukje tekst geworden, maar ik hoop dat jullie beseffen dat jullie bijzondere mensen voor mij zijn. Bedankt.

Joey (Bart), Jaco (Ward) en Colin (Kelvin). Jullie aandeel in mijn ziekteproces lijkt me duidelijk en ik zal er voor jullie zijn wanneer jullie mij nodig hebben. En ik kan mijn voetbalteam met de voetbalouders ook niet ongenoemd laten. Voetbal is voor mij veel meer dan een sport geweest en daar zijn jullie verantwoordelijk voor. Dank jullie wel.

Ik wil mijn huisarts, dhr. Velberg, mijn artsen Rob Pieters en Jaap-Jan of Jan-Jaap Boelens, mijn psycholoog Isabelle Streng, mijn mentor Jan Doffegnies, de rest van mijn docenten op het Adelbert College, Floris, mijn werkgever bij de Hoogvliet, alle medewerkers van Stichting KiKa, en de schrijver van dit boek, Edward van de Vendel, bedanken. Jullie hebben meegeholpen om mijn ziekte dragelijk te maken. Ik ben jullie ongelofelijk dankbaar.

Uiteindelijk wil ik alle mensen bedanken die een aandeel hebben gehad in mijn genezing en zich door deze woorden aangesproken voelen. Al is het maar omdat ze me een kaartje stuurden, of een berichtje op Facebook. Het voelt altijd goed om te weten dat er mensen zijn die aan je denken.

Ik wil dat alle bovengenoemde mensen beseffen dat ze er toe doen in mijn leven. Jullie zijn de helden van dit verhaal, niet ik. Zonder jullie was ik niet de jongen en de man die ik nu ben.

Uitgeverij Querido stelt alles in het werk om op milieuvriendelijke en duurzame wijze met natuurlijke bronnen om te gaan. Bij de productie van dit boek is gebruikgemaakt van papier dat het keurmerk van de Forest Stewardship Council (FSC) mag dragen. Bij dit papier is het zeker dat de productie niet tot bosvernietiging heeft geleid.